Arnaud Cathrine

Pas exactement l'amour

Gallimard

Cet ouvrage a précédemment paru
aux Éditions Verticales.

Arnaud Cathrine est né en 1973. Il est l'auteur d'une dizaine de romans aux Éditions Verticales dont *Les yeux secs*, *Sweet home*, *La disparition de Richard Taylor* ou encore *Je ne retrouve personne*. Son recueil de nouvelles, *Pas exactement l'amour*, a reçu le prix de la Nouvelle de l'Académie française en 2015. Il a publié récemment une série pour jeunes adultes, *À la place du cœur* (coll. «R», Robert Laffont), ainsi qu'un album avec son complice Florent Marchet, *Frère animal – Second tour* (Pias).

« Après c'est devenu moins grave, une histoire d'amour. »

Marguerite Duras, *La Vie matérielle*

PAS EXACTEMENT L'AMOUR

C'est à lui qu'ils devaient la précipitation avec laquelle l'histoire avait commencé.

Ils avaient été présentés par un ami commun à l'issue d'un concert et avaient bu un verre au bar attenant à la salle. Ils étaient cinq à table, mais il l'avait accaparée, elle, ignorant les autres avec le plus grand naturel.

Ils s'étaient dits tous deux impressionnés par la jeune chanteuse suisse-allemande qu'ils venaient d'écouter. Elle méritait amplement l'ovation qu'elle avait reçue et qui avait semblé l'étonner elle-même.

Ils avaient parlé musique. Ils n'écoutaient pas du tout les mêmes choses. Ils avaient changé de sujet.

Il avait assisté quelques mois auparavant, dans la même salle, à une pièce dont il lui avait décrit l'ouverture : tandis que les spectateurs prenaient place, un chien d'une taille colossale (sans doute un dog ou un danois), retenu au cou par une chaîne épaisse, déambulait sur le plateau. Puis un acteur était apparu avec un énorme quartier de viande qu'il avait jeté à l'animal, lequel l'avait dévoré en quelques minutes seulement.

Ils avaient évoqué d'autres spectacles. Et bientôt ça : il venait d'une petite ville des Ardennes où la vie culturelle était quasiment inexistante ; depuis son arrivée à Paris, il s'arrangeait pour aller au théâtre une à deux fois par semaine.

Il lui avait demandé où elle était née et où elle avait grandi : dans le cinquième arrondissement. Ils avaient commandé une deuxième bouteille.

Elle était de celles dont on pressent qu'elles vont vous échapper poliment d'une minute à l'autre. C'est du moins l'impression qu'elle lui donnait. Aimable, farouche, quoique attentive. Il était très attiré.

Lui était de ceux qui vont un peu trop loin dans ce qu'ils font et dans ce qu'ils disent, comme par crainte de paraître fade ou ennuyeux. Elle trouvait attendrissant de le voir forcer sa nature complexée.

Parfois leur ami commun intervenait. Un échange à trois s'amorçait qui finissait invariablement en tête-à-tête.

En fin de soirée, elle lui proposa de partager un taxi.

Il la fit monter chez lui.

C'était fait.

Elle prit l'habitude de venir directement chez lui en sortant du journal qui l'employait. Un soir sur deux tout d'abord. Puis presque tous les soirs.

Elle aimait l'appartement qu'il louait rue La Fayette, près de la gare du Nord. La première pièce était située au sixième étage d'un immeuble haussmannien. On y accédait par l'escalier de service. L'un des murs était tapissé de livres. Une banquette et un bureau se faisaient face. Le coin cuisine et la salle d'eau étaient minuscules. Il fallait ressortir dans le couloir et emprunter de nouveau l'escalier pour accéder à la seconde pièce, une chambre mansardée. Le papier peint, parsemé de taches d'infiltration, datait des années soixante. Elle aimait leurs soirées séparées en deux : quand, après le dîner, la musique et l'amour sur la banquette, ils «déménageaient», selon ses propres termes, pour aller passer la nuit là-haut.

D'ordinaire, il n'aimait pas trop dévoiler son appartement. Ça le renvoyait certainement à ses origines. Qu'il ne reniait pas mais enfin : il avait «un peu» manqué. Avec elle, c'était différent. Il n'avait pas honte.

Il prenait une douche une heure avant qu'elle n'arrive. Mais sans se laver les cheveux. La gueule du communiant gominé, c'eût été trop.

Il aimait son haleine de tabac. Lui qui ne fumait pas. Le cendrier des rares invités était toujours sorti pour elle.

Plus tard, ils affectionneraient de ne jamais savoir à quel moment ils feraient l'amour. Pour le moment, rue La Fayette, c'était toujours sur la banquette, avant le dîner.

Quoiqu'un peu excessif (par souci de plaire), il était pudique et ne livrait des bribes de lui qu'à travers l'histoire des objets qui peuplaient son petit séjour : le Nan Goldin découpé dans un livre rétrospective et encadré, l'édition originale du Bataille hérité de tel professeur, tel album de Max Richter ou de Nils Frahm (il lui faisait écouter dans l'instant), ce photomaton avec son « meilleur ami » (il disait ça) ou encore le tissu brodé sur la banquette qu'il tachait « à cause » d'elle quand ils faisaient l'amour.

Quatre ans auparavant, elle avait lu l'un de ses romans qui l'avait laissée perplexe. Il en avait publié trois autres qu'elle se procura sans tarder et qu'elle préféra. Il faut dire qu'elle ne le lisait plus de la même façon : à présent, elle aimait le *chercher* dans ses livres ; traquer l'autoportrait en creux avait une saveur particulière.

Il passait une partie de la journée à réfléchir au dîner qu'il allait préparer. C'était toute une affaire. Et c'était souvent réussi. Ses romans ne lui rapportant pas énormément d'argent, ils allaient au restaurant le moins possible, il insistait pour dîner rue La Fayette.

Si la pièce principale était relativement exiguë, il y avait néanmoins un balcon avec deux chaises et une table basse faites d'un tek blanchi par la pluie. Elle s'y glissait pour fumer, il la rejoignait. Un rideau de bambou recouvrait la rambarde. Ils contemplaient la nuit parisienne, brumeuse et rosâtre.

Vers vingt-trois heures, parfois minuit, ils «déménageaient» dans la chambre mansardée. Il y avait le grand lit, les sous-pentes, le petit lavabo mais pas de toilettes; pour cela, il fallait redescendre, muni des clefs, avec le risque de croiser quelqu'un. C'était un peu laborieux.

Il n'était pas rare qu'ils fassent de nouveau l'amour là-haut. Toujours à la lueur des lampes. Ils voulaient *se voir*.

Son corps à elle (tout comme son visage) était parsemé de grains de beauté, pour certains très sombres. Il aimait passer du temps à les contempler. Ses doigts allaient et venaient lentement de l'un à l'autre. C'était au lit, mais parfois aussi dans le creux d'une conversation pendant le dîner. Si la situation l'y autorisait, il relevait ou enlevait les vêtements qui entravaient cette comptabilité jamais menée à terme mais indéfiniment recommencée.

Elle aimait son cul. Et ce duvet clair à la chute des reins. La première fois qu'elle s'y était attardée, il avait découvert qu'une femme pût aimer ça. Il avait découvert, par la même occasion, qu'il aimait ça aussi. Il le lui avait dit. Alors elle revenait incessamment enfouir sa bouche entre ses fesses.

Il s'ouvrait. Longtemps ils pensèrent – sans en parler – à aller plus loin.

Il aimait se plonger dans l'eau du bain qu'elle venait de quitter. Il la frôlait lorsqu'elle en sortait, elle propre, lui pas. Et tout en s'abandonnant à l'eau troublée, il fixait la cambrure de son corps : penchée au-dessus du lavabo, une serviette nouée à la taille, examinant dans le miroir quelque chose sur son visage.

Jusqu'à leur rencontre, il avait les ongles un peu longs. Elle les lui avait fait couper. Elle observait à intervalles réguliers ce fin liseré blanc au bout de ses doigts.

Il arrivait qu'elle porte des choses qu'il n'aimait pas avant elle. Telles ces ballerines plates qui laissaient à nu l'amorce du pli entre les doigts de pied. Depuis qu'ils étaient ensemble, il aimait.

Elle aimait ses cheveux pas lavés de deux jours. Elle aimait sentir son odeur à travers le filtre des jours. De même : à travers cette barbe naissante et entretenue qui l'échauffait pendant l'amour. Elle allait et venait autour de son visage ; elle respirait ses effluves réguliers, pareils à ces arômes subtils auxquels on n'accède plusieurs fois que si l'on s'en éloigne au préalable.

Il aimait garder, une journée durant, l'odeur de son sexe sur ses doigts. Parfois (en son absence), il allait dans la salle de bains et déposait un peu de son parfum (qui s'appelait Philosykos) sur son poignet. Mais l'odeur de son sexe, même fuyante au matin, avait une persistance qu'il ne pouvait comparer à rien d'autre.

Au lendemain de l'amour, elle aimait non pas tant le sillage dispersé de sa jouissance que le souvenir bien plus perceptible de la place qu'il avait occupée en elle. L'empreinte de ce volume.

Il avait une ligne tatouée sous le sein droit. C'est la première fois qu'elle voyait tatouage aussi peu figuratif. Une simple ligne interrompue par deux tirets. Elle avait souvent pensé lui demander ce que cela signifiait, il avait lui-même proposé de le lui raconter, mais elle préférait rester avec cette énigme. En réalité, elle craignait que le tatouage ne concernât une histoire d'amour, et donc une femme.

Avec elle (spécialement avec elle), il s'était découvert une obsession fébrile pour toutes ces parties du corps dont les émanations sont à l'ordinaire incertaines. L'infime péril d'une odeur désagréable redoublait son excitation.

Chez lui aussi il y avait des odeurs nichées un peu partout. Elles avaient une juste discrétion, de sorte qu'elle pouvait s'en écœurer subtilement. Les poils de son pubis, par exemple, sentaient la lessive. Toujours. Ses couilles, quelque chose qu'elle ne saurait jamais définir et qui était commun à beaucoup de garçons.

Elle aimait son sexe quand il ne bandait pas. Elle aimait surtout la veine saillante qui le parcourait tout du long. Elle l'effleurait du dos de la main. Il enflait. Elle y reviendrait plus tard. Lorsqu'elle pourrait de nouveau le trouver abandonné.

Il avait son grain de beauté préféré : parfaitement dessiné, sans volume, juste au-dessus de l'aine droite. Il le parcourait de sa langue. On eût dit un désir semblable à celui qui le précipitait vers les tétons.

D'une main tendre, elle ramenait son visage barbu vers elle. Elle disait qu'il fallait éteindre et dormir maintenant : elle travaillait tôt le lendemain.

Plusieurs mois passèrent. Ainsi. Sous les toits de la rue La Fayette.

Il voyait bien qu'elle n'était pas habituée à évoluer dans un espace aussi étroit. Elle n'aurait jamais été jusqu'à en faire la remarque. C'est lui qui notait certaines maladresses dans ses gestes ou dans ses attitudes. De son côté, il se faufilait comme un chat gracile.

Bien sûr, elle aurait aimé qu'il fréquente aussi son appartement à elle. Maintenant qu'elle connaissait son abri dans les moindres détails. Elle osait rarement aborder le sujet, respectant ce qu'elle identifiait chez lui à un complexe de classe.

Il finit par y consentir. Pour lui faire plaisir. Et avec une certaine appréhension.

L'adresse avait quelque chose d'incongru : rue Hittorf. On était dans l'Est parisien.

Il se doutait que ce serait un bel appartement. Et grand. En revanche, il n'imaginait pas qu'il s'y sentirait bien dès la première fois. Le lieu était totalement imprégné d'elle. Et il était bien avec tout ce qui était *elle*.

Les meubles avaient presque tous appartenu à ses parents. Ils en avaient « plus que nécessaire » alors ils les lui avaient donnés.

Elle s'était mise à faire comme lui : parler d'elle à travers le récit des objets. Cette toile peinte par sa grand-mère paternelle (une vue de Nice). L'intégrale de Jean Rouch. Les livres de Depardon (ses dédicaces). Les draps en lin qu'elle aimait le voir tacher « à cause » d'elle (elle reprenait ses propres termes).

Elle aimait ce qu'il désinstallait chez elle. Dans la cuisine et dans la salle de bains. Il ne rangeait rien à la bonne place. Il ne rangeait rien, en règle générale. Elle aimait remettre en ordre après son passage.

Par plaisir, il passait d'une pièce à l'autre, arpentait le long couloir qui le changeait singulièrement de son logis bricolé entre deux étages. La nuit, à la faveur d'une envie de pisser, il errait sans allumer. Les lattes du parquet craquaient sous ses pieds nus. Il contemplait le salon scindé par des poutres verticales. Les réverbères jetaient une lueur irréelle sur les meubles en bois massif. Il n'y avait pas de rideau aux fenêtres.

Une fois qu'il se fut fait à l'idée (cela prit un certain temps), il abandonna la rue La Fayette qu'il occupait depuis douze ans et vint s'installer chez elle.

Elle lui désigna cette pièce vide au bout du couloir : il pourrait l'utiliser comme bureau. Il préférait s'installer dans le salon. C'était suffisamment grand comme ça.

Il se débarrassa de ses meubles qui ne valaient rien. Il dissémina ses livres et ses objets un peu partout dans l'appartement. Le Nan Goldin vint remplacer un bout de retable entre deux fenêtres.

Bataille vint côtoyer Depardon sur les étagères de la bibliothèque. Le tissu brodé allait bien sur le canapé.

Il ne se sentait pas encore chez lui mais il allait s'habituer. De toute façon, il n'envisageait plus de passer ne serait-ce qu'une soirée sans elle. Et elle non plus.

Elle décréta qu'il participerait financièrement à leur vie commune, mais elle n'attendait pas de lui qu'il se mette à faire n'importe quoi pour gagner de l'argent. Et puis, il finirait par avoir un succès, elle en était certaine. Dans l'intervalle, elle avait de quoi les emmener au restaurant certains soirs, en week-end lorsqu'ils auraient besoin de respirer et à la mer l'été prochain. Là encore, il consentit.

Si on fait le compte, tout cela était arrivé en moins de six mois.

Au matin, elle rejoignait le journal et lui la table du séjour où il écrivait.

Après plusieurs cafés et autant de faux départs, il se forçait à travailler. Entre-temps, il l'imaginait, déjà affairée, avenante avec ses collègues. Il se représentait la scène. Il déplorait ce naturel dont il l'affublait quand lui, de son côté, se traînait.

À peine franchi le seuil de la rédaction, elle anticipait l'allégresse empressée avec laquelle elle en ressortirait dans quelques heures pour aller le retrouver.

Il avait toujours été lent et laborieux lorsqu'il écrivait. Depuis qu'il l'avait rencontrée, c'était pire.

De son côté, elle avait gagné en efficacité professionnelle. Comme si toute tâche menée à bien recelait la promesse de pouvoir aller le rejoindre.

C'est toujours lui qui envoyait le premier texto ou le premier mail de la journée.

Elle voyait ses messages arriver. Souvent, elle aimait les garder pour plus tard : différer le plaisir.

Il guettait son téléphone et sa boîte de réception. Il était amoureux : il était donc *rivé*.

Parfois, elle n'avait ni le temps ni l'occasion de lire ses messages. Exemple : quand elle avait conférence de rédaction.

Il trouvait toujours curieux de rester sans nouvelles. Son seuil de tolérance n'excédait pas deux heures. Il lui écrivait de nouveau. Il demandait si elle avait bien reçu ses messages précédents.

Elle les lisait tous d'un coup. Elle lui répondait.

Tandis qu'il attendait qu'elle lui réponde, il tentait de reconstituer ces baisers dont le goût s'évanouissait si vite. Et tous ces moments sublimes que sa mémoire allait injustement effacer.

Cet été à Trouville (leur premier été ensemble). Ils sont à l'hôtel après une journée de plage. Il s'agenouille devant elle et ôte les deux pièces du maillot. Il passe une main sur la peau brunie et le voile salé que l'eau de mer a laissé en s'évaporant. Il aime, par contraste, les parcelles que le tissu encore humide a tenues à l'abri du soleil. La peau y est blanche et fraîche. Les doigts n'y glissent pas comme sur les autres parties du corps ; ils tracent des caresses légèrement heurtées, comme en pointillé. Il lèche, ici et là, lentement.

Ou encore cet aveu curieux qu'elle lui ferait quelques mois plus tard : ce même été, elle s'était surprise à épier le volume discret que dessinait son sexe sous le tissu du maillot de bain lorsqu'il sortait de l'eau. Il lui fallait être rapide car il l'effaçait toujours d'un geste furtif et machinal, décollant le maillot de la peau : un bref souffle d'air faisait alors disparaître la forme de sa queue. Elle avait rougi après lui avoir raconté ça.

Autant d'images qu'il se repassait à l'envi, de paroles et de souvenirs qu'il inventoriait sans fin et qui l'excitaient terriblement (il s'interdisait la masturbation ; il attendrait son retour du bureau pour faire l'amour avec elle).

Il prenait des notes. Qui n'étaient que d'impuissants substituts de réalité. Mais qu'il gardait. Il faut tout garder. On ne sait jamais.

Elle le laissait faire les courses et cuisiner pour le soir. Ça ne le dérangeait pas. Ces pauses lui allaient même très bien, l'inspiration venant à manquer depuis qu'ils s'étaient rencontrés.

Il se sentait tout à fait chez lui à présent. Il s'était senti chez lui très vite.

En fin de journée, elle pliait bagage en moins de temps qu'il n'en faut pour le dire et quittait le journal. Littéralement : elle s'échappait.

Lorsqu'elle arrivait à l'appartement, ils s'étreignaient. Ensuite ils discutaient. Puis ils s'étreignaient en discutant. Ou discutaient en s'étreignant.

À un moment, il fallait dîner et interrompre ce ressac merveilleusement interminable.

Pendant le dîner, il arrivait que la conversation menace de s'épuiser. Il relançait précipitamment, comme craignant que le silence ne les tienne à distance.

Elle aimait qu'ils se taisent. Elle pouvait alors : le regarder. Et mesurer une énième fois combien elle était accrochée à cette image, l'image de lui. Mais il ne tenait jamais très longtemps. Elle avait du mal à comprendre pourquoi il voulait parler tout le temps comme ça.

Elle aimait beaucoup quand ils décidaient ino-pinément de partir dîner à l'extérieur. La tonalité de leur conversation s'en voyait toujours vivifiée, comme si quelque chose d'inédit allait se jouer.

Sur le chemin du retour, elle se laissait guider : il adorait forcer les porches. Ils se glissaient dans des cours, des halls. Ils se serraient, collaient leur bouche l'une à l'autre. Elle respirait ses cheveux, sa barbe entretenue. Il glissait un doigt dans son sexe, il le respirait, puis il revenait à ses lèvres.

Parfois des gens survenaient. Ils affichaient une mine dégagée.

Il n'aimait pas dormir, contrairement à elle. Dormir signifiait : quitter l'autre. Même enlacés au lit, cela revenait quand même bien à quitter l'autre.

Qui s'endormirait (s'éloignerait de l'autre) le premier ? Qui céderait le premier à l'insignifiante et ordinaire trahison ?

Elle observait sa mine contrariée à la perspective du sommeil, lui caressait le front.

Avant elle, il buvait pas mal le soir, seul moyen de se laisser glisser vers la nuit. À présent, il ne buvait plus autant. Alors il retrouvait cette horreur du sommeil.

Elle lui donnait des comprimés «d'origine naturelle» à la mélatonine supposés faciliter le sommeil. Il les prenait pour lui faire plaisir mais ça ne marchait pas.

Elle s'en voulait un peu : qu'elle s'allonge n'importe où et elle s'était toujours endormie en quelques secondes. Elle savait qu'elle allait le laisser tout seul. Elle s'excusait à mi-voix avant de fermer les yeux.

Bam. Elle s'endormait.

Il fallait apprendre à *finir*. En tout. Finir momentanément. À bien y regarder, la vie n'était faite que de petites fins momentanées et pénibles. Il se disait des choses comme ça en attendant l'improbable sommeil.

Il fallait aussi apprendre à *manquer*. Se promenant main dans la main dans le parc des Buttes-Chaumont, par exemple : où était-elle dont le regard se détournait pour se poser Dieu sait où ? Où étaient ses pensées ?

Il se repassait le film, comme on dit.

Toujours : elle finissait par lui échapper. Il en souffrait par petits pics de douleur réguliers. Il fallait sans cesse la retenir, la rappeler à lui. Il ne manquait de rien pour supporter cette fatigue et relancer cet effort continuel mais quand même.

C'était épuisant.

Bam. Il s'endormait.

Ils n'avaient pas le même rapport à l'argent.

Elle aimait beaucoup en dépenser pour lui. Elle aimait l'habiller, par exemple. Il commençait toujours par rechigner (de lui-même, il achetait peu de vêtements et toujours à pas cher ; il était plus que raisonnable). Elle insistait. Il finissait par daigner la suivre sur les Grands Boulevards.

Elle l'avait convaincu d'abandonner ces jeans informes dans lesquels il flottait. Une coupe serrée dessinait autrement ses jambes et son cul qu'il avait rebondi. En revanche, il ne voulait pas abandonner ses sempiternelles Converse et il refusait les bottines en cuir. C'était vraiment trop cher. Et trop chic. Il aurait l'air de quoi. Tout de même il acceptait de ne plus porter exclusivement du noir. Elle obtenait qu'il consente au bleu marine ou au gris clair, ultime audace en matière de couleur pour lui.

Il se sentait plus à l'aise lorsqu'ils entraient chez H & M mais il était toujours désarçonné de la voir attraper des vêtements dans les rayons, regarder vaguement la taille et payer sans essayer. Il s'en trouvait là-dedans qu'elle ne porterait jamais.

De temps en temps, il acceptait qu'elle lui offre de ces pulls à cent cinquante euros (voire plus) dont tout le monde s'accorde à dire qu'ils sont très joliment coupés mais qu'ils ne survivront pas à quelques lavages. Elle les lui faisait porter à même la peau. Parfois la maille légère était un peu transparente.

Elle disait : l'argent est une chose vulgaire à ne pas respecter. Il voyait bien ce qu'elle voulait dire mais c'était quand même très curieux à entendre.

Elle avait été habituée à séjourner dans des endroits luxueux avec ses parents : Courchevel, le domaine de Beauvallon sur la Côte d'Azur, et Deauville bien sûr. Il lui demandait de raconter. Puis il lui parlait de ses vacances à lui (à Saint-Jean-de-Monts en Vendée). Elle disait que Trouville était un bon compromis dans leur cas. Compromis tout relatif, estimait-il. Mais c'est quand même là qu'avait habité Duras. Alors.

Elle dénichait toujours un « hôtel de charme ». Un endroit simple. Elle ne voulait pas le mettre mal à l'aise. L'aurait-il été à ce point ?

Une chose est sûre : il avait pris goût aux bons restaurants. On leur offrait toujours une coupe de champagne lorsqu'ils arrivaient au Central (elle y était repérée pour être souvent venue en famille). Il enviait sa décontraction. Il était content d'être là, mais il n'était pas dans son élément. Quand il passait la porte battante, il pensait toujours possible qu'on le « regarde mal ». Un vieux réflexe que la réalité démentait.

Il faisait des alliages curieux à table : par exemple, il prenait des œufs mayonnaise en entrée et une sole meunière en plat de résistance, ou un homard quand il y en avait. Lorsqu'elle lui en faisait gentiment la remarque, il rétorquait qu'elle faisait exactement la même chose avec les vêtements ; ne lui avait-elle pas assuré que le *nec plus ultra* consistait à associer une fringue de marque et une autre à bas prix ?

Il était fasciné par la clientèle des brasseries de Trouville.

Il sentait chez certains bourgeois une misère qui l'intriguait. Elle l'intriguait parce que, dans son milieu à lui, la misère venait en grande partie de l'argent trop rare. En l'occurrence, ces bourgeois ne manquaient manifestement de rien. Ils avaient tout ce qu'ils voulaient. La misère qu'il croyait lire sur certains visages venait donc d'autre chose ou d'ailleurs. Il aurait voulu savoir de quoi et d'où.

Il lui faisait remarquer combien certaines femmes finissaient par toutes se ressembler. Était-ce là un mimétisme de classe ? Elle lui apprenait à reconnaître les marques de la chirurgie esthétique qui, selon elle, expliquait en grande partie son impression.

Il disait qu'il n'était pas habitué à ces gens, et qu'il ne s'habituerait jamais à eux.

Tout au plus reconnaissait-il le silence entêtant qu'on pouvait constater chez certains couples pendant le repas et qui, lui, est universel.

Il ignorait si cela aurait pu faire plaisir à ses parents de dîner dans un endroit comme ça.

Elle voulait savoir pourquoi il ne parlait pas de tout ça dans ses livres. Quoi tout ça? Ses origines sociales. Il disait qu'il ne voulait pas que ses parents se sentent blessés. Elle rétorquait qu'il pouvait très bien faire en sorte d'en parler sans les blesser. Il souriait et lui disait que non : c'était mal connaître comment fonctionne la honte sociale; on n'écrit jamais ces choses-là sans blesser.

Il lui demandait si, à l'inverse, elle avait déjà expliqué à ses propres parents pourquoi elle travaillait dans un journal de gauche. Elle répondait que non. Bien sûr.

Il lui demandait encore si elle voyait, à part la culture, un autre levier qui avait bien pu les réunir. Elle souriait à l'écoute de ce mot : levier. Il convenait qu'il y avait peut-être là une sorte d'acte manqué.

Elle : l'aurait-il détestée à l'âge de quinze ou seize ans? Lui : pourquoi ça? Elle : pour le côté «petite-bourgeoise écervelée».

Un soir, il dit qu'il voulait monter dans la grande roue à côté du casino. Elle trouva ça incongru mais amusant. Une fois là-haut, il regretta qu'elle n'ait pas un peu peur : la terreur des autres dans les attractions le faisait hurler de rire ; il trouvait touchant de voir quelqu'un paniquer quand il n'y a aucun risque.

La perfection de ces séjours à Trouville tenait au fait élémentaire qu'elle était totalement à lui, et lui à elle. C'était le principe même des vacances, à ses yeux. Il n'aurait pas apprécié, par exemple, qu'ils voient des amis dans ces moments-là. Ou pas plus d'une soirée, ce qui de toute façon n'arrivait pas.

Elle n'aimait rien tant que de le voir comme ça. Il ne songeait même pas à travailler (elle pensait avant de le rencontrer qu'un écrivain écrit tout le temps et partout). Il préférait parler avec elle, se promener avec elle, faire l'amour avec elle. Ils se quittaient tout juste le temps de lire sur la plage. Et encore : la tête posée sur sa cuisse à elle.

Trouville était le lieu parfait. Et la circonstance bénie.

À Paris, il lui arrivait d'écrire le soir. Il était là, dans la même pièce qu'elle, mais occupé en lui-même, pour lui-même. Il était parfaitement apaisé puisqu'elle était rentrée du journal. Il pouvait enfin se concentrer.

La vérité, c'est qu'il n'était plus capable d'écrire une seule ligne en son absence, excepté des notes qui parlaient d'elle et d'eux. C'était de pire en pire. Alors il profitait de son retour pour rattraper ce temps passé à penser à elle, ce temps qui n'était pas tant perdu qu'incompressible, dont il ne *pouvait pas s'empêcher*.

Elle aimait leur présence conjointe et silencieuse dans ces moments-là. Comme ils se regardaient à intervalles réguliers. Et comme elle le regardait sans qu'il se sache regardé.

Quand il n'arrivait plus à se concentrer, il se mettait à l'épier. Elle s'occupait non loin de là, à lire, répondre à des messages. Il l'observait de plus en plus fixement et luttait pour revenir à l'écriture, rejoindre cette absence à eux. En vain. Il méditait tristement : elle semblait plus absorbée que lui, c'est-à-dire qu'elle était davantage *sans lui* qu'il n'était lui-même *sans elle*. Il fallait alors étrangler un début de rancœur absurde qui se frayait un chemin dans sa cage thoracique.

Ne supportant pas qu'elle soit plus absente à lui qu'il ne l'était à elle, il éteignait son ordinateur, la rejoignait sur le canapé et l'interrompait.

Elle se laissait toujours surprendre quand il se précipitait vers elle et lui disait qu'il avait peur. Elle lui demandait : peur de quoi (elle connaissait la réponse). Il avait peur qu'elle l'aime moins. Elle disait qu'elle ne l'aimait pas moins qu'avant. Elle l'aimait toujours autant. Ce qui était la stricte vérité.

Il ne voulait pas dire : peur que tu m'aimes *moins qu'avant*. Mais : peur que tu m'aimes *moins que je ne t'aime, moi*.

Il laissait planer la méprise. Il y a des limites à l'humiliation.

Elle préparait une machine. Il se plantait devant elle et la regardait avec un air morose. Pourquoi se rendait-il malade par amour? Elle lui disait en souriant de ne pas faire cette tête et elle le déshabillait entièrement pour tout laver. Elle contemplait le tatouage sous son sein droit. Elle effleurait son sexe du dos de la main.

Il était infiniment émouvant. Aimantant.

Quelque chose en elle était loin. Si loin.

Résolution qu'il avait griffonnée dans ses notes : «Je l'aime beaucoup. Mais pas plus.» Parce que c'était trop.

Elle n'avait quasiment jamais ressenti pour un homme d'amour fixe. La plupart du temps, ses sentiments étaient d'une intensité changeante. Avec lui, ils s'exerçaient à une régularité inespérée. Tant mieux, se disait-elle, car elle s'était toujours jugée d'une inconstance un peu inquiétante.

Il aimait lui lire ses textes à mesure qu'il les écrivait. Mais parfois il restait plusieurs jours sans rien lui lire. Pourtant il écrivait. Elle se demandait de quoi étaient faits ces textes. Elle craignait que ça ne parle d'elle.

Il voulait lire tous les articles qu'elle signait avant publication. Elle faisait de son mieux pour le contenter. Il admirait sa curiosité pour le monde, cette curiosité inchangée depuis le début de leur histoire, cette attention passionnée pour tout ce qui n'était pas *eux*. Il jalousait le monde qu'elle regardait avec tant d'acuité.

Lorsqu'elle partait quelques jours en reportage, il s'étonnait (sans le lui dire) qu'elle s'en sache capable. Il appréhendait ces jours sans elle.

Elle aussi mais avait-elle le choix? Elle compte-rait les jours.

Ils se disaient qu'ils allaient se manquer. Ils le répétaient par texto, de vive voix au téléphone.

Quand même : il se demandait comment elle faisait.

Ces reportages en province l'accaparaient. Elle allait d'interview en interview. C'était le meilleur moyen pour ne pas penser à lui. Enfin : ne pas penser à lui *douloureusement*. Sauf la nuit. La nuit, son absence était pesante. Elle se tournait et se retournait dans le lit.

De son côté, il appelait son « meilleur ami » et il se mettait une race. C'était plus simple.

Quand elle rentrait, il la serrait comme un éploré qui se serait déclaré victime d'un tiers absent.

De ses naufrages infimes et quotidiens, il ne parlait à personne. L'épopée eût paru minable. Devant ses amis (qu'il voyait bien moins qu'avant), il n'évoquait que les grandes lignes présentables : à quel sujet de société elle se consacrait ces temps-ci, un voyage qu'ils projetaient de faire, leur sexualité (en plan très large). Ses récits n'iraient jamais à l'intérieur de cette imperceptible folie répétée dont la publicité eût été pire qu'impudique. Davantage que le temps qu'ils passaient en autarcie, c'est plutôt ça qui le séparait des autres à présent.

45

Après l'amour, il avait une façon étrange de poser une main sur son sexe à elle, le recouvrant entièrement. Elle se demandait pourquoi. Ce n'est pas ce qu'elle préférait.

Elle ne disait jamais à ses amies qu'il l'inquiétait. Il traversait de tels tunnels. Pour rien. Tout pouvait être prétexte à le rendre triste et elle savait qu'elle était à l'origine de cette tristesse ou, du moins, leur amour. Elle savait aussi qu'il buvait davantage qu'au début de leur histoire (ou plutôt : il avait repris).

Elle parlait de ses livres à ses amies. Et de lui à travers eux. Tel article paru à son propos dans tel journal. Et combien elle tenait à ne pas faire savoir qu'ils étaient ensemble dans sa propre rédaction ; elle craignait de provoquer d'imprévisibles incidences sur la réception de ses livres. Elle s'entendait parfois dire que *tout le monde savait*. Elle ne trouvait pas très amical qu'on lui dise ça.

Il n'avait plus envie d'écrire de roman. Ne lui venaient que des fragments. Sur leur histoire d'amour. Mais comment publier ça ? Lui qui avait fait profession de pudeur et ne fréquentait que la fiction.

Son analyste lui avait demandé pourquoi il n'envisageait jamais d'écrire qu'en vue d'une publication. Ne pouvait-il pas écrire pour lui? Pour plus tard? Juste: écrire.

Il avait pris la décision d'essayer: écrire pour écrire. Comme l'on cherche à sortir d'une crise. Comme l'on s'efforce d'être enfin raisonnable.

De son côté, elle lui avait répété qu'il n'était absolument pas obligé d'écrire, au sens de *produire*. Par quelle intuition en était-elle venue à lui parler de ça? Il avait dû faire état d'une panne d'inspiration. En tout cas, d'une difficulté. Elle voulait surtout lui signifier de nouveau qu'ils pouvaient vivre sur son seul salaire à elle. Il avait acquiescé, reconnaissant.

Il n'empêche, il tenait à ces fragments. Ajouté à sa séance hebdomadaire, c'était le seul moyen d'enrayer les humeurs si contrastées qui l'assaillaient.

À certains moments, il n'était pas simplement triste : il désespérait (de lui-même).

Un jour, attendant son retour avec une inquiétude exagérée, il s'était dit : «Pas exactement l'amour.»

Autre chose. Une folie.

Elle voyait bien : pas un garçon tranquille. Mais il n'arrivait pas à la contaminer. Elle était sûre d'eux. Elle était sûre pour deux. Elle cherchait seulement le moyen de le rassurer. Certains soirs, elle y parvenait. D'autres soirs, elle était démunie. Et ça, c'était regrettable pour le coup : elle profitait de leur amour toute seule.

Il se demandait si ça allait durer *comme ça*.

Il se demandait si ça allait durer tout court.

Il craignait l'évidence : que leur amour ne finisse par perdre de son intensité.

Il craignait de la perdre, elle.

Il aurait pu se repaître de mots bêtes et de déclarations naïves. Au lieu de quoi : il ressassait en silence ses élans retenus, ses passages à vide, ses inquiétudes outrées. Tout était urgent, grave et un peu solennel. Il l'aimait comme l'on s'apprête à sauter d'un pont. Il y avait là une sorte de parodie involontaire, mais il ne parvenait pas à jouer autrement.

Excepté l'amour physique, c'était vraiment épuisant.

Il arrivait à présent qu'ils restent plusieurs jours sans faire l'amour. Une éternité pour lui. Ainsi s'exerçait la comptabilité de son corps : sans mesure.

Attendre que ça lui passe.

Et pour elle : que ça revienne.

Un jour, il proposa de la photographier nue. Elle refusa une fois. Deux fois. Puis elle finit par accepter. C'était des plans serrés sur son corps ou sur son visage. Il cherchait les exactes visions qu'il avait lorsqu'il se tenait contre elle.

Régulièrement, il insista pour la photographier nue. Elle lui demandait pourquoi il faisait ça. Ou, plutôt, ce qu'il allait faire de ces photos. Il ne répondait jamais.

C'était juste pour la *garder*.

L'intranquillité toujours relancée exigeait des palliatifs. Plutôt que de combler (impossible) : il fallait garder, c'est-à-dire fixer ; la photographie était idéale.

Il lui faisait prendre des poses tantôt pudiques, tantôt explicites. Constatant l'allant et l'enthousiasme qu'il y mettait, elle obtempérait. C'était toujours ça de gagné sur les moments sombres.

La plupart du temps, ils faisaient l'amour au terme de ces séances. Cela étant, elle trouvait tout aussi important qu'ils le fassent sans avoir à en passer par là.

La journée, il triait, sélectionnait, supprimait, mettait de côté. Il avait mis en page une vingtaine de clichés. Par séries. Il y passait un temps invraisemblable. Elle refusait d'y jeter ne serait-ce qu'un œil.

Il en était sûr : il la perdrait brutalement. Elle lui demanderait de foutre le camp. Du jour au lendemain.

Il n'allait pas mieux. Les photos n'arrangeaient rien.

Lorsqu'elle partait en reportage, il était courant qu'elle le laisse sans nouvelles pendant une demi-journée (jamais plus). Une sourde inquiétude montait : il l'avait perdue.

Une demi-journée sans nouvelles suffisait à faire une perte.

Le charme de la nouveauté qu'elle avait pu trouver chez lui : le temps abject n'en ferait qu'une bouchée. L'énigme restante ne suffirait pas, portion congrue qui ne retiendrait rien, et surtout pas elle. Il ressassait la menace d'une mise en demeure sans cesse différée mais toujours imminente.

Lorsqu'elle l'appelait de Marseille, Bordeaux ou Strasbourg, elle le trouvait distant. Il composait une voix blanche pour ne pas laisser filtrer son malaise.

Autant ils avaient été aussi loin l'un que l'autre dans une folie initiale, celle du corps. Autant il l'avait largement distancée avec cette histoire de perte. Il s'en rendait bien compte et n'en parlait que parcimonieusement (quand vraiment il ne pouvait pas faire autrement). C'était mieux comme ça, en effet, car constater son incompréhension à elle le laissait encore plus seul. Et puis, il ne fallait surtout pas laisser cette obsession prendre toute la place, sans quoi il allait générer ce qu'il craignait.

C'était toujours saisissant de soupçonner chez lui une pensée catastrophiste sur le point de lui échapper. Et quand ça lui échappait bel et bien, elle ne savait qui accuser. Les premiers temps, elle n'avait pas été tellement sensible à la relative bêtise dont il était parfois capable. C'était une bêtise assez banale : amoureuse.

Il ne faisait plus qu'écrire sur l'impossibilité de retenir les choses (elle). Il n'en ressortait jamais rien de très bon. À croire que cela ne fonctionnait que dans le pli de sa poitrine, n'en dépassant jamais le seuil, tel un misérable symptôme. Elle-même était lassée et ne s'en cachait pas. Non pas lassée de lui, mais de son obsession. L'ironie voulait que cette obsession n'entache en rien son amour pour lui, contrairement à ce qu'il identifiait là comme une preuve patente que le pire était en ordre de marche.

L'amour qu'elle lui portait avait une endurance qu'il ne soupçonnerait jamais. Ou alors longtemps après.

Désormais, elle pouvait sentir ses crises arriver. Elle se retranchait pour ne pas laisser prise à l'absurde.

Il sombrait. Et parfois s'énervait contre n'importe quoi. Il finissait par s'en prendre à elle.

Les crises retombaient.

Puis revenaient.

Il demandait à pouvoir se laver avec elle. Il aurait souhaité qu'il n'y ait là qu'une scène ordinaire, mais il se mettait chaque fois à bander. Il se tournait de côté dans l'eau mousseuse, sentant bien qu'elle n'avait pas la tête à ça, ni le corps, ni rien. Il la laissait sortir en premier.

Elle n'avait pas toujours envie de lui. Là où il avait toujours envie d'elle.

Leur amour était apparu par le versant du corps et du désir. Il était persuadé que son déclin se signalerait par celui-là même.

Un jour, elle se penche vers lui, l'embrasse dans le cou et attrape d'un regard cette phrase qui trône sur l'écran de son ordinateur : «Soumission au temps qui divise : nous vivons une histoire qui, nous le savons, trouvera son terme.» Il sait qu'elle lit. Elle se redresse. Une envie de tout envoyer foutre – lui en premier lieu – l'envahit, qu'elle étrangle au prix d'un effort raisonné. Elle lui adresse un regard compréhensif qui doit paraître idiot. Mais c'est tout ce qu'elle peut. Il est désespérant.

Un autre jour, elle se met à hurler, affirmant qu'elle ne lira plus aucun de ses textes tant qu'ils mettront en scène leur séparation. Il se dit : mais pourquoi écrire sinon pour buter contre l'intolérable, en franchir soi-même le seuil ?

Il n'empêche : elle pouvait toujours se mettre à hurler, le regarder avec effarement, comme l'on découvre un parfait étranger, elle continuait à l'aimer. Passé les mouvements de lassitude ou d'exaspération à le voir perdre pied, elle le retrouvait intact. Ça le quittait aussi brutalement que ça lui avait pris et il était intact. Son corps était le même, la ligne tatouée sous son sein, sa pilosité légère, ses ongles coupés, la veine sur sa queue, et tout ce qu'il était, elle pouvait toujours se mettre à hurler, ça ne changeait rien à tout ça.

« Tu souffres. Eh bien, moi, je ne souffre plus. Parce qu'il ne faut pas souffrir tous les deux à la fois. Quand tu cesseras, moi je m'y mettrai. » Ils avaient entendu ça de la bouche de Jeanne Moreau lors d'une rediffusion de *Jules et Jim*. Une gêne encombrante les avait parcourus.

Elle ne voulait plus poser nue pour lui.

Il insistait, pris de colère. Comme si elle le frustrait de l'essentiel ou du meilleur. Ses reproches étaient assenés avec une mauvaise foi insubmersible.

Il se sentait dépecé. D'elle, il ne lui restait plus que ces centaines de clichés stockés sur l'ordinateur. Alors qu'il vivait avec elle. Alors qu'il avait son amour. Mais non. Par avance, il ne lui restait plus rien. *Plus que ça.*

Elle ne hurlait plus. Elle se retranchait.

Ce fut une période où ils firent l'amour avec hostilité.

Il se mit à refuser les week-ends à Trouville. Pas son monde, crut-il bon de justifier. Et elle : trop facile de brandir cette sempiternelle honte sociale (elle ne pouvait pas dire Amen continûment) ; fils de prolo quand ça l'arrangeait : vraiment pathétique. Ça le mettait naturellement hors de lui : il renoncerait à la honte quand elle voudrait bien lâcher sa pitoyable mauvaise conscience ; c'est elle qui le maintenait la tête sous l'eau, à sans cesse lui rappeler d'où il venait avec ce petit air de commisération, à anticiper telle une mère totalement à côté de la plaque où ils pouvaient aller, ce qu'il était bon qu'il porte, qui il pouvait tolérer de croiser, elle ne faisait que l'infantiliser et, au final, le dominer. Le pire, c'est qu'elle n'en avait même pas conscience. Elle ne valait pas mieux que ceux qui l'avaient engendrée : elle se sentait par essence « supérieure ».

Ça éclatait à intervalles réguliers sur ce ton.

Le reste du temps, l'hostilité était partout quoique sourde. On peut dire que tout était mâtiné d'hostilité.

Elle en avait parlé à une amie. Choisie en conscience. Toujours la même. Peut-être ne tiendrait-

58

elle pas. Ou plus très longtemps comme ça. Peut-
être serait-elle contrainte à un moment donné
de le quitter, lui dire de partir. Elle entrevoyait le
moment où ce ne serait plus possible. Elle faisait
jurer à son amie de garder tout ça pour elle.

Il se remit à voir ses amis. Pendant un moment,
on l'appela le « revenant ». Ils avaient tous vécu ces
amours qui vous dévorent puis, un beau jour, vous
recrachent et vous rendent à la vie. Auprès d'eux,
il faisait comme si tout allait bien. Et on ne saura
jamais si c'est le meilleur moyen pour que tout aille
effectivement bien.

Il se mit à écrire un récit sur leur histoire à partir
des fragments et notes accumulés. C'est ce qui
devait arriver. On sait comment sont les écrivains.

Du premier jour jusqu'à maintenant.

Dans les moindres détails.

Il ne faudrait pas imaginer qu'il se soigna ainsi
de quoi que ce soit. Mais enfin : il faisait quelque
chose de tout ça plutôt que rien.

Il lui parla brièvement (mais assez précisément) de ce qu'il écrivait. Elle aurait pu craindre la teneur du texte et l'impudeur qui les écraserait s'il décidait de le publier, mais elle l'encouragea. Elle savait que c'était le prix d'une paix même provisoire, ou intermittente.

Il arriva souvent qu'il se réfugie dans l'écriture de ce texte. Et qu'il le préfère même à une crise. Disons qu'il allait faire sa crise *dans* le texte.

Elle le regardait écrire en retenant son souffle, comme l'on observe l'enfant malade qui s'est enfin endormi.

Elle sortait le soir avec ses amies (ou «l'amie») pour le laisser écrire.

Il y a longtemps qu'il n'avait pas ressenti un tel contentement à l'écriture. Comme lorsqu'on tâtonne laborieusement et trouve enfin la *forme*.

Quand elle rentrait, il disait qu'il avait bien travaillé, comme s'il s'agissait d'un texte totalement détaché d'eux, et d'elle en l'occurrence. Parfois il y avait une petite nuance sadique dans sa voix. Parfois non. Fonction de l'épisode qui l'avait occupé.

Et puis, ils faisaient l'amour, avec un degré d'hostilité allant de : beaucoup à pas du tout.

Elle ne cherchait même plus à comprendre. Ciel variable.

Lorsqu'ils avaient fait l'amour et lorsqu'elle ne sentait pas d'hostilité chez lui, elle lui posait des questions à propos de ce texte. Était-il strictement autobiographique, ou légèrement transposé, serait-il court, long, avait-il un titre. Le temps de les formuler, ces questions parvenaient presque à banaliser le texte. Créer une illusion de banalité, tout du moins.

Ce serait légèrement transposé, un texte assez court, ça s'appellerait « Pas exactement l'amour ».

Le jour où il lui avait parlé du titre, elle avait frémi.

Pas exactement l'amour, mais alors quoi ?

Ce même jour, il lui proposa de faire le tour de la Bretagne l'été suivant. Par la côte. En faisant, chaque fois que possible, un crochet par les îles. Elle répondit qu'elle était d'accord. Elle s'attendait à ce qu'il ajoute quelque chose. Mais il alla se coucher.

Cet été-là, ils firent bel et bien le tour de la Bretagne par la côte. Ils visitèrent les îles de Bréhat, Batz, Ouessant, Glénan, Houat et Belle-Île. Puis ils rejoignirent des amis qui avaient loué une maison dans les Cévennes. Ce fut un été réussi.

Il avait fallu du temps. Beaucoup de temps. Combien, on ne saurait le dire.

On ne peut même pas inventorier les causes. Enfin, on pourrait le faire : mais ce serait faux. La seule raison, c'est le temps. Qu'on nommera de telle ou telle façon, selon qu'on est lui ou elle. Ça oui, on pourra toujours qualifier le temps, mais là n'est pas l'important.

Cela même qu'il craignait tellement.

Cela même qu'elle n'espérait même plus.

Quelque chose se perdit.

Une perte lente et imperceptible.

Les crises : espacées. Et ce, de plus en plus.

Et l'amour aussi. L'amour physique. Sans disparaître. Mais dilué dans le cours de leur existence qui reprenait du même coup une épaisseur et ce isolément.

Le jour où ils avaient constaté cette perte, chacun de leur côté et à des moments différents, ils en avaient été pareillement soulagés. Comme une fièvre qui cesse de culminer et laisse peu à peu le corps revenir à sa juste température.

Elle avait cru voir l'amorce d'un changement lorsqu'il s'était mis à écrire ce récit (dont il ne parlait d'ailleurs même plus ; l'avait-il enterré ?). Et pendant le tour en Bretagne aussi. Mais là encore, comment savoir.

De son côté, il se souvenait d'une période insituable (il n'avait pas une mémoire exacte du temps) où il avait ressenti une intense fatigue. Ç'avait été les premières fois où il s'était couché au bout du lit après un bref baiser parce qu'il ne se sentait ni l'envie ni la force de faire l'amour. Mais là encore, peut-on savoir ?

Ce fut la fin de quelque chose.

La fin d'une démence pour lui.

Et la fin d'une attente pour elle.

Après, ils s'aimèrent.
Ce fut autre chose.

SI MYLÈNE VOYAIT ÇA

Depuis qu'il est séparé de Mylène, je vais voir Hervé tous les mois. Au début, c'était toutes les semaines. On parlait. J'avais l'impression qu'il m'écoutait. Que mes visites lui faisaient du bien. Et ce que j'avais à lui dire. Chaque fois je rentrais chez moi avec la certitude de l'avoir convaincu. Et puis, je réalisais la fois suivante qu'il avait fait table rase de nos conversations et qu'il repartait comme en l'an quarante. Ça commençait à devenir décourageant. Je ne le prenais pas contre moi, mais je me sentais parfaitement inutile. En même temps, j'aurais trouvé dégueulasse de baisser les bras et de le lâcher. Je connais Hervé depuis un paquet d'années. Il a coutume de dire que je serai bientôt son « plus vieil ami encore vivant » (Hervé a gardé un certain sens de l'humour en dépit des épreuves). Alors non : hors de question de l'abandonner comme ça. D'autant qu'il n'y a plus beaucoup de monde autour de lui. Son frère, oui. Qui s'occupe des factures, des abonnements, tout ce qu'Hervé ne fait plus. Mais à part lui ? C'est pourquoi j'ai décidé de continuer à aller le voir. Mais une fois par mois. C'est largement suffisant. Je ne parle plus trop. En tout cas, moins que lui. Je l'écoute. J'aimerais bien qu'il revienne parmi nous, comme on dit. J'ai tout essayé. La vérité, c'est qu'il y a des choses qu'on ne peut pas faire à la place des gens. En l'occurrence, c'est à lui et à lui seul de faire une croix sur Mylène. Alors voilà : je me contente de vérifier que son état n'empire pas, qu'il s'alimente normalement et qu'il n'est pas tenté de faire une connerie. Je fais moyennement confiance au médecin qu'il voit. Le type l'interroge vaguement, lui regarde le fond de l'œil et adapte son traitement au besoin. Je ne sais jamais dans quel état je vais retrouver Hervé. Parfois il est incapable de tenir une conversation, assommé et méconnaissable. C'est triste à voir. Il dit pourtant trouver dans ce brouillard une sorte de répit. Il ajoute qu'à forcer la dose il ne sent plus rien, coupé de ses sentiments, comme une douleur insupportable qui cesserait sous l'effet de la morphine, par exemple ; ça, c'est l'équivalent que je me représente pour tenter de mesurer ce qu'il ressent ou, du moins, ce qu'il ne ressent plus. Dans ces cas-là, Hervé ricane comme un con : « Mylène s'en fout ? Hé ben, moi aussi, tiens. » Et je vois sa tête tanguer autour de ce sourire bête, comme si elle était devenue trop lourde ou sa colonne vertébrale trop faible pour tenir droit le roseau maigrelet qu'il est devenu. Heureusement que je n'ai pas à affronter ça à chaque visite : la plupart du temps, Hervé est clair, quoique passablement obsessionnel. Je me fais alors le spectateur dépité de son monologue. Que je ne contrecarre même plus. Inutile de nuancer le tableau : ça l'agresse. Un pli paranoïaque qu'il a pris avec le temps : il se fait des «montées», selon ses propres termes. Il ne faut ni le contredire ni l'interrompre. Il n'y a décidément plus rien à tirer d'Hervé. Pour le moment, dois-je croire. Alors je l'écoute. Je lui pose des questions. Juste ça. J'espère qu'il est heureux que je vienne lui rendre visite. Souvent je tente de me persuader qu'il a dévissé mais qu'il va revenir, comme avant, avec son petit brin de folie, mais comme avant. Les jours où j'y crois, je me dis que ça prendra du temps.

Hier, nous avons décidé d'aller au parc. On se serait cru en mai ou en juin. J'avais apporté de quoi pique-niquer. Et une thermos de café. Hervé carbure au café toute la journée. Il est sans limites. Ça et les clopes. Je me suis toujours demandé si c'était lié au traitement auquel il opposerait des tonnes de caféine et de nicotine pour tenir. On s'est installé au bord de la rivière. Ça m'a fait de la peine : il avait une chemise pleine de taches, comme une personne âgée qui se négligerait ; alors qu'Hervé a quarante et un ans. Je lui ai servi un café à ras bord, comme il aime. Je lui ai dit de prendre un deuxième gobelet pour éviter de se brûler. Il n'a plus le sens pratique ; il faut tout lui dire. Il a mis trois sucres. Je ne sais pas comment il fait pour boire ça.

Je lui ai demandé s'il était en forme. C'est toujours ma première question. Peut-être faudrait-il que je tente un jour d'attaquer bille en tête par quelque chose qui me concernerait, histoire de l'obliger à sortir de lui-même. J'ai essayé une ou deux fois, mais sans doute à un mauvais moment : il n'écoutait pas. «Comment tu te sens?» Il a répondu qu'il se sentait pas trop mal. Même s'il était toujours sans nouvelles de Mylène. Pour la millième fois, j'ai dit : «C'est un peu normal, tu ne crois pas? Quand on se sépare…» Et pour la millième fois, il a rétorqué qu'elle aurait pu faire les choses proprement. «C'est le cas, non?» Pas du tout : quand on fait ça, on prend au moins des nouvelles. Juste pour s'assurer que l'autre tient bon. «Non, Hervé : quand on se sépare, on coupe net. Ce serait encore pire si elle te téléphonait ou si elle venait te voir. Déjà que c'est épouvantablement dur…» Et là, j'ai repensé à cette idée que nous avions eue avec son frère et sa belle-sœur : faire appeler Mylène un de ces quatre; l'obliger à prendre des nouvelles d'Hervé. Tout compte fait, c'était une très mauvaise idée : Hervé ne guérirait qu'au terme d'un sevrage total. C'est d'ailleurs la thèse que défend le toubib depuis le début, je dois au moins lui reconnaître ça. Hervé a soupiré et murmuré qu'il en voulait terriblement à Mylène. Que c'est peut-être ainsi qu'il finirait par s'en sortir : par la haine. «Ce serait dommage. Tu l'as tellement aimée.» Il avait encore en tête les mots qu'elle avait prononcés au soir de la rupture : «Cette fois,

74

c'est fini, Hervé. » J'ai fait une moue un peu désolée (je connais l'histoire par cœur) : « Eh bien, oui… C'est comme ça qu'on dit, je suppose. » Non, il bloquait sur le « cette fois » : « Cette fois, c'est fini, Hervé. » Cette nuance de rien le meurtrissait : elle lui avait parlé comme à un enfant qui a trop tiré sur la corde alors qu'il n'avait rien vu venir, elle ne l'avait jamais mis en garde à propos de quoi que ce soit. Si encore leur quotidien avait été émaillé de disputes et de silences hostiles. Mais rien de tout ça. Le couperet était tombé sans préalable et sans qu'il ait seulement eu conscience d'être monté sur l'échafaud. Selon Hervé, quand on aime quelqu'un et que ce quelqu'un déconne, on l'en avertit, on lui donne une chance de se rattraper, de changer. Mylène n'avait pas eu cette indulgence aimante : elle l'avait jeté d'un coup d'un seul, comme l'on se débarrasse d'un jouet dont on s'est lassé. Puis il m'a regardé fixement, comme ça lui arrive rarement (Hervé a du mal à tenir le regard, son traitement probablement) et il a dit qu'il avait un « truc » à m'annoncer. J'ai lancé avec un enthousiasme sans doute un brin exagéré : « Ah oui ? Quoi ? » Il venait de faire une chose qui l'avait soulagé, beaucoup soulagé : il avait jeté toutes les photos. Je suis resté bouche bée. « Tu as vraiment fait ça ? » Il a acquiescé avec un sourire fiérot. Il a ajouté qu'il aurait dû passer à l'acte depuis longtemps. J'ai dit : « Tu m'épates là. » J'ai ajouté qu'il fallait un certain courage pour faire ça. Je me doutais que tout n'était pas revenu à la normale pour autant, mais quand même : « C'est extrêmement courageux. » Et attention, il n'avait pas lésiné : il avait tout brûlé. Il a admis que cela pouvait paraître violent mais, après tout, Mylène n'en saurait jamais rien et puis c'est ce qu'elle avait fait elle-même à la fin de la première tournée en 90, a-t-il rappelé : elle avait fait cramer le décor du spectacle dans un grand champ et avait été filmée, pour la vidéo du live, face à la scénographie en flammes. Une question m'est venue que j'ai hésité à poser, et puis je me suis lancé (c'est tellement rare qu'une once d'inédit et de progrès se glisse dans la vie d'Hervé) : je lui ai demandé ce qu'il avait ressenti au moment de tout brûler. Il a laissé passer quelques secondes. Puis il a évoqué l'impression d'un incommensurable gâchis. Il avait fait le compte : il avait rencontré Mylène à l'âge de vingt-deux ans ; quarante et un moins vingt-deux, cela donnait dix-neuf ans. Dix-neuf ans qui venaient de s'envoler en fumée, de la cendre, en quelques instants… Ça, ça lui faisait mal. D'autant que, selon lui, Mylène n'en prendrait jamais la mesure. Elle n'avait jamais eu le sens des réalités. Était-ce du déni ou quoi, il était persuadé qu'elle n'avait jamais fait le compte, elle. Sans quoi elle aurait réfléchi avant de dire : « Cette fois, c'est fini, Hervé. » C'était une enfant capricieuse, terro-risée par le temps qui passe, elle refusait de devenir adulte, préférant rester en marge du monde, des autres et de lui, Hervé, nimbée dans son mal-être. Je n'ai pas voulu insister. Hervé continue à voir Mylène comme il l'a toujours vue : une créature et non pas une femme qui chie comme tout le monde. C'est plus que de l'amour, me suis-je encore répété. Quand j'en fais la remarque devant lui, Hervé n'entend pas ce que je veux dire par là. Il confirme que oui : c'est plus que de l'amour, là où je voudrais lui signifier que ce n'est plus de l'amour. Une fois je suis allé au bout de mon raisonnement : ça lui a provoqué une montée. Il s'est mis dans un état pas possible. Il a voulu me frapper. Heureusement que son frère est intervenu. Depuis je reste prudent.

Le silence est retombé. Il m'a tendu son gobelet et je l'ai resservi en café. Je lui ai proposé de manger un peu de jambon blanc, mais il n'avait pas faim. J'ai dit que boire autant de café ne pouvait que lui couper l'appétit. Il a promis que c'était le dernier et il m'a taxé une clope pour aller avec.

Hervé contemplait les colverts qui glissaient en file indienne sur la rivière et je n'arrivais pas à savoir si son regard était tranquille ou parfaitement désespéré. J'avais une autre question en tête mais j'ignorais une fois de plus si c'était le bon moment : « Qu'est-ce que tu as fait des CD ? » Il s'est tourné vers moi et m'a regardé, atterré : ah non, on ne pouvait tout de même pas le priver de ça, on ne pouvait pas lui enlever la voix de Mylène quand même. « C'est peut-être un peu tôt, je reconnais. Tu as déjà été très courageux avec les photos. Chaque chose en son temps. » Il a dit que ça, non : il ne pourrait jamais jeter les CD. « Qu'est-ce que tu en sais ? Si on t'avait dit, il y a six mois, que tu serais capable de brûler les photos ? » Il a haussé les épaules et il a remué la touillette en plastique dans son gobelet. Il allait bien devoir tourner la page, changer de vie, ça oui. Mais toucher à l'œuvre de Mylène? Jeter, voire brûler son œuvre? Il y a des choses sacrées. Puis, sans relever la tête, il a voulu savoir si Mylène demandait de ses nouvelles. Qu'elle ne l'appelle pas, qu'elle ne vienne jamais le voir, d'accord; mais demandait-elle de ses nouvelles au moins? J'ai pris ma respiration, puis j'ai dit: «À ton frère, je crois. Elle sait bien que tu es malheureux. Ce n'est pas un monstre non plus.» Il a dit que non: pas un monstre. Au contraire: une telle sensibilité. Et ses affaires: Hervé voulait savoir ce qu'elle avait fait de ses affaires. Là, j'ai durci le ton: «Il faut arrêter avec cette question, Hervé. Tu sais très bien: toutes tes affaires ont été transférées dans ton nouveau chez-toi. Elles sont là, dans ta chambre. De toute façon, tu n'avais pas grand-chose.» Il a acquiescé: tout était à elle chez eux, à l'exception de la petite chaise qu'il utilisait pour préparer ses vêtements du lendemain et qui avait appartenu à sa mère. Je déteste quand Hervé part là-dessus. Qu'il évoque son amour, passe encore. Mais quand il s'attarde sur les détails… Il a poursuivi: avait-elle gardé quelque chose de lui? Une trace? Un souvenir? «Non, Hervé, quand on rompt, on rompt.» Il a dit que j'étais très gentil mais trop brutal. Il fallait que j'essaie de le comprendre: dix-neuf ans d'amour fou, son seul amour, comment voulais-je qu'il s'en sorte en deux temps trois mouvements? Pour une fois, je me sentais prêt à l'affronter sans lui provoquer une montée. « Est-ce que tu regardes les femmes autour de toi ? Maintenant que les murs de ta chambre sont redevenus blancs, c'est peut-être le moment de regarder un peu autour de toi, non ? » Il a grimacé : il ne regardait pas les femmes, il n'avait pas envie d'elles, de toute façon le traitement lui avait coupé le désir net. Et puis, il avait découvert l'amour avec Mylène, il n'avait jamais fait l'amour qu'à une femme, elle, alors qu'allait-il regarder les autres ? Tout ça pour s'apercevoir qu'il serait charmé par unetelle ou unetelle qui lui rappellerait Mylène ? Il y a toujours un moment où je commence à perdre patience avec Hervé : « Mais qu'est-ce que tu crois ? Qu'elle ne refera jamais sa vie ? Qu'elle n'aura jamais un autre homme ? » Il a interposé la paume de sa main entre nous. Il m'a demandé de ne pas dire ça, non, c'était trop tôt, c'était trop difficile à entendre pour lui, décidément j'étais trop brutal. Il avait déjà dû partager Mylène avec Laurent et quelques autres, pour le bien de sa création certainement, mais quant à envisager son avenir sentimental à elle, non, c'était beaucoup trop tôt, il ne pouvait pas envisager ça. « Mais peut-être que ça t'aiderait à décrocher justement ! » Il a dit : qu'elle reprenne un singe, ça oui, à la rigueur, là il était d'accord, mais un homme, non, il ne pouvait pas entendre ça. Je me suis mordu l'intérieur de la joue. Puis j'ai mangé une tranche de jambon blanc et je me suis dit qu'il fallait que je me calme.

«Tiens, j'ai un petit truc pour toi, Hervé.» Il a demandé quoi. Je lui ai tendu le paquet cadeau. «C'est trois fois rien. Mais comme je ne serai pas là le jour de ton anniversaire.» Il m'a demandé où je serais. «Un week-end à la mer avec une amie.» Je ne tiens pas à entrer dans les détails avec Hervé : il instrumentalise tout ce qui lui tombe sous la main pour me prouver que j'ai une vie démente, une chance de dingue et que c'est tellement injuste qu'il soit seul à payer pour tout le monde. C'est pourquoi je ne lui ai jamais parlé de Sonia. Je dis : une amie. En l'occurrence, Hervé était déjà passé à autre chose : il voyait bien, à la forme du paquet cadeau, qu'il s'agissait d'un CD. Il a quasiment arraché le papier, espérant certainement un truc de Mylène, un EP, une rareté, un inédit (alors qu'il a tout). Lorsqu'il a découvert la pochette, il m'a demandé qui était cette «pute rousse». J'ai pris sur moi. J'ai dit : «C'est loin d'être une pute, Hervé. C'est une jeune chanteuse. Je me suis dit que ça te ferait plaisir de la découvrir. C'est important aussi la jeune génération.» Il a retourné le CD et il l'a balancé dans l'herbe. «Qu'est-ce que tu viens de faire là ?» Il a pris son air buté. «On ne fait pas ça, Hervé ! Je te fais un cadeau alors tu ne fais pas ça ! Tu ne me jettes pas mon cadeau à la gueule !» Il a marmonné que mon cadeau l'insultait. «T'insulter ? Non mais qu'est-ce que tu racontes ? Qu'est-ce que ça veut dire ?» Si je croyais qu'une «jeune pute rousse» allait destituer Mylène, je me foutais le doigt dans l'œil. «Mais il ne s'agit pas de destituer ou je ne sais quelle connerie, Hervé! Juste t'ouvrir un peu, découvrir autre chose! Cette fille a un petit filet de voix, je me suis dit que c'était exactement pour toi.» Il a demandé ce que j'entendais par «petit filet de voix». «Oh, ça va, Hervé! Nous sommes bien d'accord: peu importe qu'on ait de la voix pourvu qu'on ait une voix. Tu sais très bien que je ne sous-entendais rien de péjoratif!» Il a continué à marmonner avec sa voix de con: je pouvais bien lui offrir tous les disques de la terre, il resterait toujours fidèle à lui-même et ce n'est pas une «pute rousse» qui allait changer la donne. «Mais tu arrêtes avec ton concept de pute rousse! Et si je te disais que c'est une copine à moi?» Il a levé le nez et m'a fixé comme un chien à l'arrêt. «Bon, il se trouve que ce n'est pas une copine.» Il s'est penché vers le CD qui gisait dans l'herbe. Il a encore regardé la pochette et la tracklist. Il a dit qu'il était d'accord pour au moins écouter. J'ai dit: «Bravo, Hervé.» C'est alors que son portable a sonné. Il l'a extrait de sa poche, je me suis précipité dessus et le lui ai arraché. On l'appelait en numéro caché. Il s'est redressé, hystérique, et s'est mis à gueuler pour que je le lui rende. J'ai décroché. J'ai entendu un petit filet de voix qui disait: «Allô oui c'est moi.» J'ai tout de suite reconnu Françoise, la femme du frère d'Hervé, qui imitait Mylène. «Françoise, c'est moi. On laisse tomber, on laisse tomber.» Hervé s'est figé. À l'autre bout du fil, Françoise m'a demandé ce qui me prenait brusquement: on était pourtant convenus qu'on ferait appeler Mylène pour prendre des nouvelles ; c'est même moi qui avais eu l'idée… J'ai dit : « Eh bien, c'était une idée pourrie. » Hervé m'a demandé pourquoi je parlais si mal à Mylène. J'ai répondu que ce n'était pas Mylène mais Françoise. Il est alors tombé à genoux et il a éclaté en sanglots. C'est là que j'ai vu le soignant courir à notre rencontre. Hervé beuglait comme un enfant de trois ans et Françoise me hurlait dessus, arguant ne rien comprendre à mon comportement. Un autre soignant est arrivé à la suite du premier. L'un s'est penché sur Hervé, l'autre a commencé à me demander des explications : qu'avais-je fait (tout de suite les accusations) pour mettre Hervé dans un état pareil ? « Un instant, s'il vous plaît. Je suis avec Mylène au téléphone. Je veux dire sa belle-sœur. » Hervé a protesté : Mylène n'était pas sa belle-sœur, c'était la femme de sa vie ! Le soignant a pris une voix très sévère : il était entendu que tout cela était fini ! J'ai raccroché au nez de Françoise. Le soignant a continué : plus de Mylène Farmer ! L'équipe avait déjà eu énormément de mal à persuader Hervé d'enlever les posters aux murs ; Hervé remontait la pente doucement, il n'avait fait qu'un bref passage en cellule de dégrisement ce mois-ci, alors que venais-je tout foutre en l'air, ce fut son expression : « tout foutre en l'air ». M. Levaillant présentait une pathologie on ne peut plus grave : « On ne joue pas avec ça. » Et il m'a prié de ramasser mes saletés, et de quitter l'hôpital, ils allaient raccompagner M. Levaillant dans sa chambre. Ils l'ont pris chacun par un bras et l'ont forcé à avancer. C'était horrible : Hervé gueulait à la mort. J'ai senti une matière visqueuse sous mes pieds : j'avais marché sur le jambon blanc. Je me suis accroupi, j'ai commencé à rassembler les affaires et les détritus. J'ai alors relevé la tête et j'ai regardé Hervé disparaître au loin, ceinturé par les deux soignants. C'était vraiment terrible. Et je me suis dit : mon Dieu, si Mylène voyait ça.

UNE ERREUR DE JEUNESSE

Je ne t'avais pas vu depuis un an. Il y avait eu cesdix jours au Cap-Ferret en juillet de l'année précédente. Et puis plus rien. Je venais d'obtenir mon CAPA et d'entrer au barreau, je redescendais rarement et, quand je trouvais le temps, je profitais de mes parents sur Bordeaux. Cela ne m'empêchait pas de penser à toi. C'était certainement une connerie de ne pas t'appeler plus souvent. Je comptais sur le capital des années pour nous préserver (après tout, nous nous connaissions depuis plus de vingt ans). Je m'étais juré de ne pas le laisser s'épuiser et nous avec.

Tous nos échanges s'étaient faits par mail. J'étais touché que tu me choisisses comme témoin, le contraire m'aurait sans doute blessé. Ce faisant, je ne pouvais pas m'empêcher de trouver bizarre cette accélération du temps et des choses : on avait à peine quitté l'inconséquence de nos vingt ans et déjà des couples s'installaient, des enfants commençaient à naître, la configuration de nos existences muait à vitesse grand V... Enfin : la vôtre davantage que la mienne. Si j'étais le témoin de quelque chose, c'était bien de ça. Évidemment, nous concernant, mon départ à Paris n'avait rien facilité, mais tout de même : j'avais senti une distance se dresser entre nous du jour où tu avais emménagé avec Dina. Je t'en avais parlé un jour, pudiquement. Je t'avais dit que je craignais un peu ça : toi à Bordeaux, moi à Paris ; et cette vie commune que vous entamiez tous les deux. Tu avais balayé mon appréhension d'un geste confiant. Dina savait très bien que tu avais besoin de moments à toi. Et d'ailleurs tu lui laissais les siens. Elle ne nous empêcherait jamais de nous voir, elle ne s'interposerait jamais entre nous. La suite a prouvé que nos soirées en tandem se sont sensiblement raréfiées. Mais, une fois encore, je fais amende honorable et je reconnais que je me suis laissé dévorer par ma vie parisienne. Je pensais à tout ça au moment de prendre le bateau à la jetée Thiers et ça me serrait un peu le cœur. J'avais décidé de laisser la voiture à Arcachon et de traverser le bassin en bateau. J'avais envie de ça, que je n'avais pas fait depuis longtemps. Une sorte de sas avant les festivités. Et voir apparaître la dune du Pyla à mesure qu'on approche du Cap. Je ne me suis jamais lassé de cette vision. On dira ce qu'on voudra : je suis né ici et je reste d'ici. Et puis, prendre le bateau, ça t'obligeait à venir me chercher au bac. J'aimais bien cette idée aussi. Qu'on ait un bref moment à nous.

J'ai débarqué avec mon sac et mon costume dans sa housse. Tu avais emprunté sa vieille Méhari à Benoît. Tu m'as fait la bise. Je t'ai trouvé de belles couleurs. Vous aviez pris soin de partir au soleil quelques semaines auparavant, Dina et toi, histoire de décompresser une fois l'organisation du mariage bien avancée et de pouvoir arborer cette mine. C'était réussi.

— T'es méchamment cerné, as-tu fait remarquer. Ils auront ta peau.

— Arrête, je suis né avec mes cernes.

— Alors ça bosse, ça bosse ?

— C'est sans fin… Ça va me faire du bien de me poser deux jours.

La Méhari vrombissait et nous étions obligés de porter un peu la voix pour nous entendre. Je ne roule jamais en décapotable, *a fortiori* dans une antiquité pareille. C'était agréable.

— Tout est prêt ?

— Tu vas voir la merveille que Benoît a fait monter sur la plage ! On va prendre le vin d'honneur devant l'océan, mec !

— Et la dune !

— Et la dune, parfaitement. On a loué la cabane à côté de chez lui pour les témoins et les proches. Vous serez bien.

— Benoît est toujours arrimé à sa digue ?

— Ça arrive par camions entiers. Tu n'imagines pas. Je ne sais pas comment il parvient à financer toute cette caillasse.

Depuis qu'il a quitté la haute couture, Benoît habite au bout du Cap. Comme la mer grignote la terre, il s'est armé d'une digue qu'il renforce continuellement pour retarder l'implacable éro-sion. Il investit tout ce qu'il peut dans ce rêve fou (jusqu'à proposer des locations sur son domaine). C'est un acte insensé, d'amour. Il n'en aura jamais fini, il faudra toujours remettre des pierres, mais il a mis un point d'honneur à se battre contre l'effondrement et l'océan dont il sait qu'il faut le dompter comme une bête sauvage qui ne sera jamais domestiquée. Cette lutte a toujours forcé notre admiration.

On a dépassé la zone des ostréiculteurs et tu t'es engagé dans les chemins de terre qui zèbrent la dernière partie du Cap et louvoient entre les villas et les pins.

— Tu as vu la robe de Dina?

— Ah non: on fait les choses dans les règles!

— Et ton costume?

— Tu vas voir. J'ai tout mis dans ta chambre.

— Vous passez où la nuit de noces?

— Ça ne se dit pas, mon pote.

— Tu m'emmerdes avec tes conventions, je suis une tombe!

— Hôtel de la Ville d'Hiver. J'ai réservé la plus belle chambre. Tu gardes ça pour toi.

La voiture a pénétré dans le domaine de Benoît. Tu t'es garé devant la fameuse cabane. Ici, il est convenu de nommer «cabane» ces maisons toutes de bois brut et rustique bâties par les fils de Benoît et qui sont, en réalité, de véritables palais.

Dans le vaste séjour, on en était au café. J'ai salué tout le monde, y compris Martial, ton autre témoin, dont tu sais ce que je pense depuis toujours. Il m'a serré la main mollement et m'a gratifié d'un «monsieur l'avocat» parfaitement goguenard. Martial m'a toujours opposé une sorte de supériorité ricanante. Il doit continuer à me considérer comme un rival. Je le sens sitôt que nos regards se croisent. C'est curieux qu'il ait encore besoin de ça. Il faut croire que, chez certains mâles dominants, il n'y a jamais prescription.

— T'as bouffé? as-tu lancé.

— Ça va aller, j'ai pris un gros petit déjeuner. Je boirai juste un café avant de partir.

Ta sœur a fait remarquer que nous n'étions pas particulièrement en avance et elle nous a enjoints d'aller nous préparer. Elle a ajouté, à mon adresse, que tu ne savais toujours pas faire un nœud de cravate; elle comptait sur moi pour te rendre présentable. Nous sommes montés à l'étage.

La chambre qui m'était destinée donnait sur la mer et le Pyla. Je me suis attardé un moment à la fenêtre.

— Désolé : tu as à peine le temps de te poser…

— Pas de souci. C'était à moi d'arriver plus tôt.

J'ai ouvert mon sac sur le lit et j'ai installé mes affaires dans l'armoire.

— Tes parents? as-tu interrogé en te déshabillant.

— Ça roule. Encore plus occupés qu'avant la retraite. Ils ont découvert l'Italie. Ils disparaissent tous les trois mois.

— Quelle vitalité! Je nous souhaite la même chose, franchement.

— Stop. On n'y est pas. Déjà que tu te maries.

— Et les amours?

— Tu crois que j'ai le temps?

— On a toujours le temps pour ça!

— Hé ben… Rien.

Tu as sorti ton costume de sa housse.

— Tu en penses quoi?

— C'est bien. Presque noir.

— Oui, c'est ça. Vert presque noir. Plus clair, ça faisait agent de la RATP.

J'ai lâché un rire.

— Tu es vraiment un sale produit de la bourgeoisie!

— Et toi?

J'ai haussé les épaules.

— Moi aussi, je te le concède.

— Non, je veux dire: ton costume à toi.

J'ai étendu la housse blanche sur le lit et je l'ai dézippée. À l'horizontale, ça m'a fait penser aux grandes housses étiquetées dans lesquelles on met les cadavres à la morgue. Oui, en l'entrouvrant, j'ai imaginé le visage d'un macchabée à l'intérieur.

— Je te reconnais bien là: sobre.

— Noir, c'est noir. Mais: chemise prune!

Je me suis déshabillé à mon tour.

— Tu vas te raser ou c'est voulu?

J'ai tâté mes joues.

— Tu penses?

— Un peu négligé, non?

J'ai attrapé ma trousse de toilettes et je suis allé brancher le rasoir dans le cabinet de douche attenant. Dans la glace, je t'ai regardé boutonner ta chemise, puis enfiler ton pantalon, y glisser la ceinture. Il m'a semblé que tu avais maigri.

Je terminais de me raser quand tu es apparu derrière moi. Tu t'es approché, tu as penché la tête juste au-dessus de mon épaule pour te coiffer. J'ai respiré ton parfum. Ce parfum que je n'ai jamais senti que sur toi. Qui *est* toi.

— J'ai fini, je te laisse la place, ai-je dit.

De profil, je me suis glissé hors de l'étroit cabinet et mon torse a frôlé ta chemise. Cette intimité, autrefois si familière, m'a fait un drôle d'effet.

J'ai commencé à m'habiller.

— Tu dois en rencontrer pourtant du monde dans ton boulot, as-tu repris.

J'ai mis quelques secondes avant de comprendre que tu en étais resté au désert de ma vie amoureuse.

— Tu t'inquiètes pour moi ?

Tu es revenu dans la chambre à la recherche de ta cravate.

— Ça fait combien de temps qu'on te voit seul ?

Je n'avais pas tellement envie d'aller sur ce terrain. On s'était toujours tout raconté ; mais, depuis un bon bout de temps, ça n'était plus pareil. Et je m'en voulais un peu car j'avais évidemment ma part de responsabilité : bien que déplorant la distance géographique entre nous, je m'étais surpris à devenir avare en confidences avec toi.

— Machin… Comment il s'appelait déjà ?

— Sylvain.

— Sylvain, c'était il y a…

93

— Plusieurs années, oui.

— Bon, et puis il y a eu…

Tu t'es interrompu.

— Nathan, ai-je dit.

— Voilà. Mais ça n'a pas duré très longtemps, si?

— Deux ans.

— Tant que ça?

J'ai fini de boutonner ma chemise. Tu t'es approché de moi et tu m'as observé.

— Mais tu vis des choses quand même?

— La vie ne fait que commencer! Je vais bien finir par rencontrer quelqu'un. Ne te fais pas de souci pour ça.

— Je suis sûr que tu n'es même pas sur Grindr.

— Tu connais ça, toi?

— J'ai toujours pensé que tu fréquentais beaucoup trop d'hétéros.

Tu m'as tendu la cravate.

— Tu m'aides?

— Devant la glace.

Nous sommes retournés dans le cabinet de douche. Tu t'es posté devant le miroir et moi derrière. J'ai relevé le col de ta chemise et j'ai commencé à nouer ta cravate. Les effluves de ton parfum me sont revenus. Et, une fois dissipés, l'odeur de ta peau.

— Ça te va?

— Impeccable.

J'ai remis le col de ta chemise en place. Au passage, mes doigts sont passés sur ta nuque. Tu avais dû aller chez le coiffeur quelques jours plus tôt et, au toucher, on sentait la pointe des cheveux affleurer.

— Mets la veste, qu'on voie ce que ça donne.

Tu t'es exécuté. J'ai fait de même.

— Tu es beau, ai-je dit.

— Tu n'es pas mal non plus. Selfie?

— Allez!

— Vas-y, toi; le mien est en train de charger en bas.

J'ai pris mon portable et j'ai pointé l'objectif vers nous. Tu as approché ton visage et nos deux profils se sont collés l'un à l'autre. Nous étions encore en chaussettes et j'ai senti ton pied toucher le mien. J'ai pris la photo. Tu as éloigné la tête.

— Une autre, j'ai fermé les yeux, ai-je menti.

On a repris la même pose. Clic.

— Eh bien, je crois qu'on est parés! as-tu décrété.

Et tu t'es frotté les mains. Par ce simple geste, tu paraissais dix ans de plus. C'était un geste de ton père, et des hommes de notre milieu. Depuis sa mort, il t'arrivait même d'employer des formules qu'on lui avait connues. Un babil viril d'élu local qui te donnait une allure prématurément compassée. Fallait-il absolument que la fin de la jeunesse commence par là : cet esprit de sérieux et cette assurance de classe; ce contentement à l'idée d'avoir trouvé ton personnage, d'avoir enfin épousé l'archétype auquel tout te destinait? J'avais déjà remarqué l'été précédent que tu avais rangé au placard ce cynisme subtil et cette discrète étrangeté qui faisaient ton charme. Tout était plus tranché, sans malice. Il y avait désormais des choses à éviter, comme de parler politique. Je connaissais ton lyrisme droitier (j'avais moi-même grandi là-dedans) mais je faisais tout pour le tenir à l'écart de nous depuis que tu étais encarté. Ça et tellement d'autres choses quand on y pense. Nathan avait sans doute joué un rôle majeur ; attaché parlementaire « Front de gauche » : je ne pouvais pas trouver mieux pour incarner mes pulsions frondeuses. Mes études avaient également joué leur rôle, me dévoilant le monde ordinaire sous son versant le plus précaire et le plus tragique ; en comparaison, les vicissitudes de nos familles étranglées par l'ISF et je ne sais quelle autre « absurdité franco-française » m'irritaient prodigieusement. Que nous restait-il ? Je veux dire : que restait-il de nous, sinon ceux que nous avions été ? Un passé.

Oui, ce jour-là, je revenais avec tout ça en tête. Mais quand même : je revenais. Pour toi.

— Il ne faut pas que j'oublie l'alliance !

J'ai regardé comment était le cliché que je venais de prendre. J'ai dû le contempler d'une façon un peu appuyée.

— Ça va ?

J'ai relevé le visage vers toi, sans trop savoir si tu parlais de l'image ou de moi.

*

C'est Martial qui nous a conduits à la mairie. Toi devant, et moi à l'arrière avec ta sœur et ta mère.

— Tu ne veux pas qu'on mette ton chapeau dans le coffre, maman?

— Si je le retire, je vais être toute décoiffée.

Sur le trajet, elle a eu le temps de réitérer son cahier de doléances, en ta présence mais à mon intention : elle déplorait que vous ayez refusé le mariage à l'église ; d'autant qu'à la mairie, ils avaient une fâcheuse tendance à «expédier».

— Maman, tu ne vas pas recommencer?

Sa bouche fâchée en accent circonflexe dessinait deux rides supplémentaires sur un visage froissé et masqué par le plâtre du maquillage.

Elle a demandé de mes nouvelles et, notamment, si j'avais une copine, passant volontairement sous silence cette fiancée nommée Nathan que je lui avais présentée trois ans plus tôt (une simple erreur d'aiguillage, devait-elle estimer). J'étais bien obligé de répondre «non» à la plupart de ses questions. Décidément, à part la robe d'avocat, je n'avais pas grand-chose pour moi. Elle a fait remarquer qu'à trente ans il allait ne pas falloir tarder à me caser. Elle ne l'a pas dit comme ça, je ne sais plus quels ont été ses termes. Martial t'adressait des regards de connivence, délecté par l'interrogatoire et les commentaires afférents. Ce petit procès l'air de rien m'a paru injuste : après tout, Martial était arrivé tout aussi célibataire que moi ; mais sans doute avait-il davantage entretenu son rang chez vous ces dernières années et puis il n'avait jamais emprunté qu'un chemin droit et fréquentable.

Notre arrivée à la mairie a sonné comme une libération. Le parfum capiteux de ta mère commençait à m'écœurer et le café que j'avais pris sur le pouce avant de partir ne passait pas.

On a tous patienté sur le parvis. Dina allait apparaître d'une minute à l'autre. La petite foule bruissait d'excitation.

Il y avait là bon nombre de copains d'enfance que je n'avais pas revus depuis des années. Mathilde minaudait toujours autant. Rémi riait toujours de la même façon (une sorte d'éclat suivi d'une toux sèche). Inès était toujours cramponnée au bras de Gildas, plus raide que jamais. La mère des jumelles, après vingt ans passés en France, avait toujours un accent germanique à couper au couteau. Guillaume était toujours «crevé» et Clélia trouvait tout «formidable». Seul Jules, ton petit frère, se sentait à peu près aussi déplacé que moi au milieu de ce paradis obligatoire orné de costumes trois pièces et de chapeaux plus tarabiscotés les uns que les autres. Je me suis rapproché de lui et on s'est allumé une cigarette. Une femme a fait un geste de la main pour signifier qu'on l'incommodait. Nous n'avons pas bougé et c'est elle qui s'est déplacée en bougonnant. Jules m'a raconté qu'il était toujours en fac de médecine à Paris. Il avait quitté son foyer d'étudiants catholique et vivait près de Bastille. J'ai dit que ça me plairait qu'on aille prendre une bière ensemble un de ces soirs. Il a acquiescé à cette idée. Jules et moi, on est de la même race : pas farouchement anticonformistes mais certainement plus de ce monde dans lequel on a grandi.

Enfin, la BMW du père de Dina est arrivée. Sans doute n'était-ce une surprise pour personne sauf pour moi : la robe, façon Empire, avait été conçue spécialement pour mettre en valeur ce qui ne pouvait échapper à personne – Dina était enceinte. Tout le monde a applaudi. J'étais stupéfait de n'être pas au courant. Je me suis précipité vers toi :

— Félicitations ! Tu ne m'avais pas dit !

Mais tu n'as pas prêté attention à ma remarque, tout occupé à descendre les marches en direction de ta future épouse. Je me suis mis à applaudir, faute de mieux. Martial m'a jeté un regard en coin. J'ai entendu ta mère regretter une fois encore que vous ne puissiez rien faire comme tout le monde ; j'ai saisi l'allusion avec un peu de retard : les enfants, c'est *après* le mariage.

Contrairement à ce que craignait ta mère, l'adjoint n'a pas « expédié » la cérémonie. Il s'est même attardé sur ton enfance et ton adolescence au Cap, la joie de marier un enfant du pays et d'accueillir Dina dans « notre » bassin. J'étais, comme il se doit, assis avec Martial à ta gauche. Je ne connaissais pas les deux témoins de Dina.

Alors, bien sûr, il y a eu ce moment pénible que j'imaginais pourtant parfaitement anodin : l'adjoint nous a invités à venir signer les registres, mais il nous a demandé au préalable, et «d'un mot», d'expliquer l'importance que revêtait pour nous le rôle que tu nous avais confié. J'ai blêmi. Je n'avais pas anticipé cette plaidoirie-là. Il a commencé par les filles qui ont prononcé quelques phrases plutôt touchantes. Puis Martial s'est défilé, s'en remettant à ce qui venait d'être dit et arguant que c'était-un-peu-pareil-pour-lui. Enfin ce fut mon tour. J'ai affirmé que j'avais été témoin de beaucoup de choses dans ta vie, alors il m'importait de l'être à nouveau en ce si beau jour. Et je ne saurai jamais si je suis tombé à plat ou pas : tu m'as renvoyé un sourire poli et le reste de l'assistance est restée de glace.

Quand on est sortis de la mairie, les enfants se sont mis à jeter du riz un peu trop tôt et je me suis retrouvé couvert de grains. Je me suis vite écarté pour laisser place aux mariés.

Comme vous rejoigniez le vin d'honneur ensemble, Dina et toi, il n'y avait plus de place pour moi dans la voiture de Martial. Jules m'a fait signe et je suis monté avec lui. On a échangé un regard et on a éclaté d'un rire soulagé.
— Ça, c'est fait, a-t-il dit en démarrant.
— Maintenant on va pouvoir picoler !

*

— Alors toi aussi, tu es un sale célibataire ?

— J'ai inventé une excuse à ma copine. Je n'avais pas super envie de lui infliger ça. Je la connais.

— Elle est en médecine comme toi ?

— Logique. Vous ne vous voyez plus trop, mon frère et toi ?

— Je redescends rarement, tu sais. Toi, tu viens tous les combien ?

— Au moins deux fois par mois. Surtout quand il fait beau. Je vais surfer à La Salie.

— Toujours ?

— J'essaie de ne pas rester enfermé à la maison. Maman est devenue un peu relou depuis la mort de papa. Elle a l'impression qu'on n'en fait jamais assez, qu'on ne vient jamais la voir…

— Pourtant elle a une vie mondaine bien remplie, non ?

— Il faut croire que ça ne lui suffit pas. Elle s'attendait peut-être à ce que les trois enfants remplacent son mari.

— Tu traînes avec les petits jeunes, toi maintenant ?

On s'est retournés : tu as levé ta coupe et nous avons trinqué tous les trois. J'ai espéré que tu commenterais d'une phrase celle que j'avais prononcée à la mairie. Mais non.

— J'espère que vous êtes conscients de la chance que nous avons, as-tu dit en désignant l'océan.

— Splendide, ai-je forcé.

Et j'ai craint de m'être un peu trop laissé aller car tu es aussitôt parti trinquer plus loin.

— Tu ne parles pas trop aux gens, a fait remarquer Jules.

— Je les ai tous plus ou moins perdus de vue. C'est moche.

— Moi, c'est pareil. Sauf les potes qui surfent. Hé, tu sais quoi : je me baignerais bien…

— Ah non. Ça, c'est pour plus tard : quand on sera vraiment bourrés !

Le placement à table était fidèle au cours des choses : tu avais installé Martial à ta droite et je me suis retrouvé plus loin, entre Fred et Margaret, l'une des témoins de Dina. Fred a fait montre de bonne volonté et m'a demandé où j'en étais. Je lui ai renvoyé la pareille pour m'entendre dire qu'il venait d'ouvrir une boutique de cigarettes électroniques sur Bordeaux. Je me suis rabattu sur quelques souvenirs de nuits passées au Centaure, cette boîte où je me suis toujours senti triste, mais où je te suivais dans l'espoir de pouvoir m'isoler avec toi alors que c'était bien le dernier endroit pour ça ; je parvenais à te kidnapper une fois sur dix ; le reste du temps, j'errais entre le bar et la piste de danse, croisant des énergumènes comme Fred dont je ne parvenais à rejoindre ni l'hilarité ni le degré d'alcoolémie. C'est justice : Fred s'est lassé en même temps que moi de notre conversation et j'ai profité de ce que nous avions fini l'entrée pour aller fumer dehors. Nous ne nous sommes plus reparlé du dîner, lui et moi, sinon pour nous proposer du vin. J'ai fait une tentative auprès de

Margaret pendant le plat de résistance, une fille adorable quoique affublée d'un boulot également très ennuyeux, dans le marketing cette fois. Elle m'a raconté sa rencontre avec Dina en Angleterre, lors d'un échange linguistique. Puis elle m'a demandé si on se connaissait depuis longtemps, toi et moi. J'ai évoqué notre adolescence, parlant parfois un peu fort pour susciter chez toi une réaction ou, pourquoi pas, une rectification. Ma stratégie a moyennement fonctionné : Dina et toi étiez incessamment occupés à faire le tour des tables.

Jusqu'à ce que la luminosité baisse, qu'un vidéoprojecteur s'allume et qu'un petit groupe s'avance, micro à la main (Martial en tête de proue). Margaret s'est étonnée que je ne les rejoigne pas. Ça non plus, je ne l'avais pas anticipé : le discours des potes. Personne ne s'était mis en contact avec moi pour me proposer d'y participer. Dans la demi-obscurité, j'ai vu ta silhouette et celle de Dina revenir à table et s'asseoir. Alors il y a eu les photos de toi quand tu étais môme (dont une présentant avec ostentation ta petite bite d'enfant qui n'a pas manqué de ravir l'assistance), puis l'ingratitude boutonneuse de tes quinze ans, l'appareil dentaire, les frasques sur la plage Pereire (pas trace de moi) ; enfin une série de clichés romantiques supposée retracer ta rencontre avec Dina, le tout agrémenté de commentaires et de chansons rendus à peine audibles par la sono pourrie et la réverbération de la salle. Ce fut ensuite au tour de Dina qui a eu droit au même hommage, entre portraits risibles et mièvres souvenirs. Quand la salle s'est rallumée et tandis que tout le monde applaudissait, tu m'as adressé un regard dont je n'ai pas compris la teneur. Fallait-il y lire une déception – celle de constater que je m'étais tenu à l'écart de ce passage obligé en ton honneur – ou une certaine reconnaissance, je veux parler de cette place que j'ai toujours occupée et à laquelle je ne pouvais que me tenir – celle de l'ami spécial, pas comme les autres et qu'on aime donc aussi pour ça ?

Après les deux ou trois valses de rigueur, le DJ a convoqué ses Claude François, Gloria Gaynor et autres Abba. J'ai foncé vers Jules.

— Tu me croiras si tu veux : il n'y a plus rien à boire à la table des mariés.

— On va remédier à ça tout de suite !

Et il m'a servi un verre de rouge à ras bord.

— Tu survis ? a-t-il demandé.

— *I will survive*. Tu as trouvé comment le stand-up auquel j'ai eu la chance de ne pas être convié ?

— C'est interdit par la loi théoriquement un truc pareil.

Décidément, ton petit frère me plaisait.

Il s'est penché vers moi.

— Pourquoi tu es venu ?

Je suis resté un peu séché.

— Tu m'imaginais manquer ça ?

— Tu n'as pas envie d'être là.

— Rassure-moi : toi non plus ? Ou alors j'arrête de te coller.

Il a souri.

— Qu'est-ce qui t'amuse?

— Qu'un type de vingt-neuf ans me dise qu'il me «colle». Ça me plaît. J'espère que tu ne me dragues pas.

Je lui ai adressé une tape virile dans le dos. Il a failli recracher sa gorgée de vin.

— Tu sais quoi? Ton frère était comme toi avant. Il avait de l'insolence. Qu'est-ce qui s'est passé?

— Il arrive toujours un moment où on finit par se ranger, non?

— Pas comme ça. Je t'assure…

— On y va? a lancé Jules, comme pour couper court.

— Danser? Ne me fais pas ça!

— Non: à l'eau.

— Banco!

Il nous a resservis (de nouveau à ras bord) et nous avons quitté la table, notre barrique de rouge à la main.

Après avoir ôté chaussures et chaussettes, nous avons marché vingt mètres à peine, jusqu'à la mer. Des standards de variété résonnaient derrière nous. Mon verre tanguait, éclaboussant mon poignet. Nous nous sommes assis non loin de l'eau.

— Ça valait pour ce moment-là, ai-je décrété.

Et j'ai penché la tête vers la voûte étoilée. L'ivresse m'avait totalement anesthésié. J'aurais pu être à n'importe quelle soirée, dans n'importe quelle circonstance : j'étais bien, certain que ma chambre était à deux pas, la nuit largement entamée et cette journée de mariage quasiment derrière nous.

— Cul sec ? a suggéré Jules.

— Eh mec : c'est du rouge ! Un peu trash quand même.

Il m'a lancé un regard de défi et il a bu son verre d'une traite. Je me suis redressé et je l'ai imité. Je n'ai pas réussi à tout boire.

— Je crois que j'ai quinze ans, ai-je marmonné.

— Et alors, ça te fait quoi ?

Mon sourire s'est écroulé. Abstraction faite de mon corps qui avait déjà imperceptiblement fait son chemin, de nos costumes de con, j'aurais vraiment pu croire au mirage : j'étais avec toi sur la plage Pereire, quatorze ans en arrière.

— Tu ne dis rien ?

— Je suis un peu dépassé, je crois.

— Bourré peut-être ?

— Dépassé. Et bourré.

— Tu veux dire quoi par « dépassé » ?

Je n'ai rien trouvé à dire. Trop de choses. Et puis, ton petit frère avait beau afficher une belle maturité, il n'avait pas non plus la patience pour ça.

— On l'a dit : alors on le fait, a-t-il prévenu.

Il s'est levé, il a laissé tomber sa veste, il a dénoué sa cravate. Après avoir déboutonné le haut de sa chemise, il s'en est débarrassé comme l'on retire un tee-shirt, en forçant un peu. Puis il a abandonné son pantalon et son caleçon.

— Je t'attends.

J'ai voulu planter mon verre à pied dans le sable pour conserver le fond de vin et je l'ai renversé. Je me suis levé maladroitement et je me suis foutu à poil.

Jules trépignait.

— Grouille, je n'ai plus de bite!

— *Fire*! ai-je hurlé.

Et on s'est jetés à l'eau, en poussant des cris de victoire; l'eau était proprement glacée.

— La planche! a ordonné Jules après s'être ébroué comme un chien.

Nous nous sommes laissés flotter sur le dos. De la fête ne nous parvenaient plus que les basses.

— J'espère que vous êtes conscients de la chance que nous avons, a parodié Jules en t'imitant.

Après, c'est flou. Après, je revois ton frère penché sur moi, me tapotant la joue et me secouant l'épaule. Le sable mouillé contre mes omoplates, mes fesses et mes talons. Une vague nausée et du sel dans la bouche.

— Tu reviens, ça va, tu reviens?

Je me suis tourné sur le côté. J'ai craché.

— Tu m'as fait flipper grave!

— Qu'est-ce qui s'est passé?

— Tu avais la tête révulsée, j'ai cru que tu étais en train de crever! Je t'ai ramené au bord. Tu étais lourd, putain!

Jules était rhabillé, chemise sur le pantalon,

comme quelqu'un qui se serait déchaîné sur la piste de danse, et moi, nu et grelottant.

— Je suis désolé, ai-je murmuré.

— T'inquiète. Tu n'y peux rien. Ça t'a pris et voilà.

Il m'a tendu mon slip, mon pantalon et ma chemise. Je me suis efforcé de me rhabiller à la va-vite et il a dû m'aider.

— Ils doivent se demander où on est, a-t-il fait remarquer.

Jules n'arrivait plus à sourire, je devais lui avoir fait vraiment peur.

— Je suis présentable ou pas du tout? ai-je demandé.

Il a haussé les épaules.

— Au milieu de la piste de danse, ça passera inaperçu.

Et nous avons repris la direction de la «cabane» où tout le monde s'agitait au rythme de «Beat It».

Tu te tenais là, appuyé contre le chambranle d'une porte-fenêtre, comme nous attendant, un cigare entre les doigts.

Jules a disparu dans la salle à la manière d'un animal fautif ou, plus simplement, pour nous laisser tous les deux.

— Ça remonte à quand notre dernier bain de minuit? as-tu demandé.

— Trop longtemps.

— Tu viens marcher un peu avec moi?

Ta proposition, pour anodine qu'elle puisse

paraître, m'a ému. Ainsi donc ce bref moment partagé en fin de matinée tous les deux ne t'avait pas suffi, ni cette journée où nous n'avions légitimement fait que nous croiser.

Nous nous sommes engagés sur le chemin qui traverse le domaine de Benoît au milieu de la pinède.

— Je ne t'ai pas vu sur la piste de danse.

— Ça n'a jamais été mon truc, tu sais bien.

— Moi non plus.

— Tu as quand même eu droit à la valse !

— Qui a fait éclater ma mère en sanglots. *Si seulement ton père avait pu voir ça…*

— Tu y penses, toi aussi, j'imagine ?

— Je pense à lui tous les jours.

Nous avons marché un moment en silence. La lune éclairait le chemin parsemé d'herbes hautes et sèches. Je me sentais d'humeur à te dire des choses, sans trop savoir par où commencer. Je crois que j'avais tout simplement envie de rejoindre cet endroit (cet état) de notre adolescence, à présent inatteignable.

— C'est un drôle de jour, ai-je dit. Et un grand jour. Les deux à la fois.

— Eh oui… On est en train d'archiver le dossier «Jeunesse».

— J'aimerais bien faire *rewind* là. Qu'on nous transbahute quelques années en arrière…

— Je croyais que tu conchiais la nostalgie ?

— Exception faite de ce soir.

Tu m'as tendu ton cigare.

— Non merci.

J'ai cherché mes cigarettes. J'avais dû les égarer sur la plage.

La baignade m'avait dégrisé, mais je ne marchais pas très droit pour autant, de sorte que nos épaules venaient à se toucher par moments. J'ai fini par te prendre le bras, comme on faisait avant, de nuit.

— On a perdu le fil, toi et moi, ai-je tenté.

— Le fil?

— Tu vois bien ce que je veux dire.

— C'est toi qui as voulu partir à Paris.

— Je sais bien.

— Et puis, on a presque trente berges. On change de vie, c'est normal.

Tu as tourné le visage vers moi et ça m'a saisi : j'ai reconnu sur tes traits quelque chose de Nathan. Était-ce l'obscurité ou quoi? Quel détail au juste? Quelque chose dans la morphologie du visage. Oui, c'était bien Nathan que je venais de voir passer en filigrane. Je suis resté interdit. Dire qu'en deux ans de vie commune je n'avais jamais songé à ça : cette part de toi que, peut-être, je retrouvais chez lui. Vous : pourtant si opposés.

— Qu'est-ce qu'il y a?

— Rien.

Ton bras s'est crispé.

— Je retourne à Malaucène en août, ai-je enchaîné bon gré mal gré. Ça vous dirait de passer?

— Dina bosse en août.

— Mais toi, tu pourrais venir quelques jours. Ou même un week-end.

Tu as observé un silence.

— Pourquoi pas. Il faut que je lui en parle.

— Je suis sûr que tu adorerais la maison.

— Il y a quoi à faire dans le coin?

— Le mont Ventoux. La rivière du Toulou-
renc...

Tu as acquiescé mais tu ne paraissais guère
convaincu.

— Il y aura qui?

— Toujours les mêmes.

— Je ne les connais pas.

— Tu n'es pas si farouche!

— Non, je veux dire: je ne les connais toujours
pas.

J'ai saisi la nuance et encaissé.

— Ben justement. Ce serait l'occasion.

— De retendre le fil?

Voilà ce qu'était devenue ta merveilleuse insolence: de l'ironie froide.

— On retourne? as-tu proposé.

— Déjà?

Tu as lâché mon bras et tu as fait machine
arrière. Je t'ai laissé avancer de quelques pas, puis
je suis revenu à ta hauteur. J'ai bien vu que tu me
regardais avec une sorte d'hostilité voilée.

— J'ai dit quelque chose qu'il ne fallait pas?

— Pourquoi tu parles de tout ça?

— Tout ça quoi?

— Tu es morose, presque sinistre. Alors que je
me marie aujourd'hui.

Ta voix avait des accents cassants.

— Je n'ai pas le droit de dire ce que je ressens?

— Toi aussi, il va bien falloir que tu avances.

— Mais je ne t'ai rien reproché!

Tu as fait une moue dubitative.

— Je dis juste que ça me ferait chier de constater que quelque chose s'est perdu entre nous.

— C'est quoi ce romantisme à la noix? Il faut avancer.

— Tu répètes ça comme si tu voulais effacer!

Tu as eu un petit rire, pas si bienveillant.

— À part ça, tu ne me reproches rien.

J'ai de nouveau voulu te prendre le bras. Tu t'en es défendu.

— Quoi?

— Arrête, c'est bon.

Je t'ai dévisagé.

— C'est proscrit par le contrat de mariage, c'est ça?

Tu n'as rien répliqué, les yeux rivés sur le chemin.

— Pardon. Je ne pensais pas être si inconvenant.

— Ce n'est pas le problème.

— Alors c'est quoi le problème? Je t'ai connu moins pudique.

J'ai senti ton exaspération monter.

— Ça non plus je n'ai pas le droit d'en faire état, je suppose?

— Ne fais pas ton petit avocat agressif.

— Je ne suis pas agressif. Je me demande simplement pourquoi tu as envie de fuir tout d'un coup! Qu'est-ce que je fais de mal? C'est quand même normal d'évoquer notre passé un jour comme aujourd'hui !

— On n'a peut-être pas retenu les mêmes choses, en l'occurrence.

Je me suis liquéfié.

— Ça veut dire quoi : *on n'a peut-être pas retenu les mêmes choses* ?

Tu t'es immobilisé, m'obligeant à faire de même, puis tu as articulé lentement :

— Ça n'existe pas. Ça n'a jamais existé. O.K. ?

— De quoi tu parles ?

— Toi et moi, on est amis.

— Qui dit le contraire ?

— Alors pourquoi tu fais des sous-entendus depuis cinq minutes ?

Je ne t'avais jamais vu un regard aussi noir.

— Je ne sais pas qui me parle, là…

— C'est peut-être ça le problème, as-tu rétorqué.

Mais je n'écoutais plus, figé avec cette phrase plantée dans le ventre : *ça n'existe pas, ça n'a jamais existé.*

— Allez, viens.

— Que ça te plaise ou non, je nous considère dans tout ce qui a fait notre histoire. Alors j'aurais juste aimé que ça passe, là, entre nos deux regards, juste un instant, ce soir. Ni plus. Ni moins.

— Tu me fais chier, as-tu marmonné avec une sorte de lassitude.

Et tu t'es remis en route d'un pas rapide.

— Tu te rappelles que tu m'as baisé tous les week-ends de l'âge de quatorze ans à l'âge de seize ans ou est-ce qu'il faut que je te rafraîchisse la mémoire?

Tu t'es retourné, tu m'as foncé dessus et tu as saisi le col de ma chemise.

— Tu es venu avec l'intention de foutre la merde ou quoi?

J'ai fixé ton visage, je ne te reconnaissais plus.

— Je n'aurais jamais imaginé que tu me dirais ça un jour: *ça n'existe pas, ça n'a jamais existé*! C'est toi qui as demandé à Martial de me tenir à l'écart des discours? Tu craignais que je me fende d'un truc un peu embarrassant?

Tu m'as projeté en arrière. Je me suis étalé au sol.

— Ta gueule!

Tu t'es remis en marche. Je me suis relevé vaille que vaille et je t'ai suivi. J'avais une douleur aiguë au poignet sur lequel je venais de me réceptionner, ce même poignet que j'avais glissé contre le tien quelques minutes auparavant.

Cette fois, je me suis mis à hurler:

— Est-ce que tu peux ignorer que notre amitié est belle parce qu'elle est faite de ça aussi?

On approchait des lieux de la fête, alors tu as parlé à voix presque basse mais avec une détermination parfaitement abjecte:

— Écoute-moi bien maintenant: tu vas fermer ta grande gueule une bonne fois pour toutes et t'enfoncer dans le crâne que c'était une erreur de jeunesse. Nous n'en parlerons plus.

— Une erreur de jeunesse qui a duré deux ans?

— Une erreur de jeunesse, as-tu encore sifflé entre tes dents.

— Non : un amour de jeunesse.

Tu m'as jaugé sans rien dire. D'une façon tout à fait définitive. Tu as bifurqué et tu as rejoint la soirée.

*

Je suis resté seul sur la plage un long moment. Bien sûr que ça m'aurait fait du bien de pleurer sur le coup. Mais je ne sais pas faire. La douleur dans mon poignet, elle, s'atténuait un peu, laissant place à un engourdissement comme lorsqu'on a tout simplement pris une mauvaise position.

On passait une chanson qui bourdonnait à mes oreilles et que je n'arrivais pas à identifier. Je me suis approché des grandes vitres qui donnaient sur la salle de réception. Je t'ai vu te déhancher au milieu de la piste de danse, non loin de Dina, de Martial et des autres. Pour la énième fois de la journée, m'est revenue cette sensation qui m'avait si souvent assaillie en boîte lorsque nous étions adolescents : celle d'être parfaitement transparent, de n'être pas celui avec qui il *faut* être. Tes étreintes à l'abri des regards avaient toujours été aussi fortes que ton indifférence lorsque nous revenions au monde où je me retrouvais alors isolé, et toi si loin brusquement. Oui, c'était déjà ça à l'époque, en moins brutal peut-être, glissé ni vu ni connu dans l'ordinaire de notre jeunesse en comparaison de ce

115

soir qui sonnait davantage comme une exécution sommaire.

J'ai cherché mon portable dans ma poche et j'ai regardé les deux photos que j'avais prises le matin même : nos profils collés l'un à l'autre. Il y avait quelque chose de nous là-dedans. Quelque chose de nous *avant*. J'étais bien le seul à y tenir.

Il était temps de disparaître. Je me sentais incapable de dissimuler le cafard immonde qui me nouait la gorge. Inutile de saluer quiconque : j'avais quitté la fête depuis plus d'une heure et personne ne devait s'en être aperçu. Et puis, il était hors de question que je recroise ton regard ce soir. J'ai repris le chemin que nous venions d'arpenter. J'avais ta voix glaçante en tête et, sur l'une des clavicules, l'empreinte encore douloureuse de ton poing qui m'avait projeté à terre. Même si j'avais conscience que tu venais de prononcer des mots très graves, j'ignorais à cet instant-là que tu venais de nous tuer, plus encore que de nier notre passé. Non, je n'en étais pas là. Je marchais et je ne pensais qu'à fumer une cigarette et essayer de dormir. C'était pour me défendre sans doute. Me défendre momentanément de cette chose qui était à présent inévitable : passé cette soirée de mariage au Cap-Ferret, on ne se reverrait jamais.

MONSIEUR BRICOLAGE

Je lui ai demandé si elle pouvait rallumer. J'avais besoin de la voir. Je n'aime pas dans le noir. Au moins la lampe de chevet. Je suis d'accord avec elle : le plafonnier fait hôtel bon marché. Ce doit être à cause de l'ampoule à Led. Je déteste ces ampoules à Led. Elles produisent une lumière blafarde. Ou est-ce le plafonnier que j'ai acheté pour pas cher chez Monsieur Bricolage ? On ne devrait pas chercher à faire des économies dans tous les sens, on finit par acheter n'importe quoi. La lumière dans une chambre, c'est un poste important. J'ai dit : rallume, s'il te plaît (puisque le variateur qui commande la lampe de chevet est de son côté). Tu sais bien que je n'aime pas le faire dans le noir. Je te rappelle que c'était pour toi le variateur, c'est toi qui l'as demandé. Pour lire sans me déranger quand tu n'arrives pas à dormir. Et pour éviter le plafonnier quand on fait l'amour. Ça ne te plaît pas au final ? Rallume. Je n'aime pas t'imaginer, comme tu dis si bien. J'ai besoin de te voir. Pas sous le plafonnier mais au moins à la lueur de la lampe de chevet. Avec le variateur, ça change tout. Tu n'es pas obligée de mettre au maximum. J'ai dit : essaie au moins. Si tu n'essaies pas, on ne saura jamais. Mais elle n'a pas bougé.

Lorsque je me suis penché au-dessus d'elle pour atteindre la table de nuit, j'ai senti son corps se rétracter. J'ai allumé la lampe de chevet. J'ai mis au minimum. Je me suis rassis. Elle a tiré le drap sur elle. Elle a souvent ce réflexe. C'est touchant. J'ai contemplé son visage triste. Je lui ai toujours connu ce visage triste qui ne reflète pas forcément son intériorité. Un visage est rarement à l'image de notre intériorité. Moi, par exemple, on me pense souvent renfrogné. Ce n'est pourtant ni plus ni moins que l'état de mon visage « au repos ». En réalité, je ne suis pas du tout renfrogné. Elle, c'est pareil : elle semble triste alors qu'elle ne l'est pas forcément. Enfin là, je dois être honnête : j'ai senti que quelque chose n'allait pas. Son visage a beau afficher la même expression vingt-quatre heures sur vingt-quatre, je sais déceler les moments où ça cloche. En somme, cela faisait beaucoup de choses qui n'allaient pas : le plafonnier, l'ampoule à Led et elle par-dessus le marché. J'ai demandé : c'est quoi le problème au juste ? *Ton* problème. J'étais bien obligé d'en parler. Tu n'aimes pas que je te voie ou quoi ? Je n'y peux rien : j'ai besoin de te voir et de savoir que c'est toi, pas n'importe quelle femme. J'ai dit : c'est normal que j'aime te voir. Et ce serait normal que tu aimes me voir. À ce moment-là, elle a prononcé quelques mots confus. Parle plus distinctement, je ne comprends pas. Elle a hésité, et puis elle a fini par le dire : elle n'aimait pas ma tête dans ces cas-là. J'ai dit : tu n'aimes pas ma tête dans ces cas-là ? C'était assez violent à entendre, maintenant je peux le dire. Elle a ajouté que j'avais une tête de clebs. J'ai accusé le coup. Puis j'ai demandé : quelle race, je te prie ? Pour dédramatiser. Alors comme ça j'ai une tête de clebs dans ces cas-là ? Quand on le fait, j'ai une tête de clebs ? J'ai essayé de me représenter un chien pendant l'acte sexuel. C'est assez facile à se repré-senter. Si c'est comme ça qu'elle me voyait... J'ai dit : ben, si c'est comme ça que tu me vois... J'ai suggéré : le clebs, ce ne serait pas à cause du pla-fonnier et de l'ampoule à Led par hasard ? Cet éclat blafard venu d'au-dessus. Je voulais comprendre. Et l'aider. Et puis, je m'efforçais de ne pas céder à la colère. J'ai demandé : et la journée, tu en penses quoi ? De moi ? On peut savoir ? J'ai une tête de quoi ? Le clebs, c'est juste au lit ? C'est juste la nuit quand on le fait ? Faut-il que j'achète des bougies à Madame pour apaiser ses visions nocturnes ? Si tu acceptais que je te prenne de dos, tu ne la verrais pas ma gueule de clebs ! Si seulement tu daignais te retourner ! Elle a marmonné quelque chose d'inaudible. Elle avait un air de reproche. J'ai dit : ne marmonne pas comme ça ! Je cherche. Je voudrais bien t'aider. Mais je voudrais aussi être à ce que je fais.

J'ai demandé : c'est moi que tu n'aimes pas dans ces cas-là ou tu n'aimes vraiment pas ça ? Pas ça, tout court. Elle n'a rien rétorqué. J'ai dit : tu préférerais qu'on en parle à tête reposée ? Je l'ai laissée réfléchir et j'ai tiré le drap sur moi parce que j'avais débandé, à force, et je ne voulais même pas savoir à quel animal ça lui faisait penser. Elle a beaucoup d'imagination. Depuis toujours. Elle voit des images. Avant, elle écrivait même des poèmes. Aujourd'hui, elle n'écrit plus. Les seules images qui restent sont pour ma tronche et elles ne sont pas toujours du meilleur goût. Le silence a duré un bon moment. Finalement j'ai dit : dans la cuisine, vers vingt heures, la lumière est belle sur le jardin. Tu voudrais le faire là ? Elle a bafouillé puis crié comme si elle n'arrivait plus à trouver ses mots. J'ai dit : ne crie pas comme ça ! Je cherche. Si ce n'est pas le plafonnier ni l'ampoule à Led, si le variateur n'y fait rien, c'est peut-être la chambre. On n'a même pas de quoi circuler. On se croirait dans un formule 1 ici. Qui aurait envie de le faire dans un formule 1 ? Je cherche. Alors toi, ne crie pas. Je cherche un endroit avec une belle lumière. Si on ne cherche pas, on ne risque pas de se sortir de là. Je te propose la cuisine. La table est suffisamment grande. On peut mettre une serviette assez moelleuse pour ton dos. Et la lumière sur le jardin à vingt heures : c'est une proposition. Qu'est-ce que tu as à crier avant même d'entendre les solutions que j'ai à proposer ? Elle m'obligeait à gueuler. J'ai dit : j'aime autant te dire qu'à ce moment précis je n'aime pas tellement la tête que tu fais, moi non plus. Cet air buté, cette expression victimaire. Et je lui ai foutu une baffe. J'ai dit : tu l'as cherché. Maintenant tu as une bonne raison de grimacer.

On faisait du surplace. J'ai dit : reprenons depuis le début. De toute façon, je ne bande plus. Reprenons. Tu éteins. Et, avec le variateur, tu choisis. Je te laisse faire. Tu choisis l'intensité qui te plaît. J'ai précisé : prends ton temps. On ne travaille pas demain. Ne t'inquiète de rien. On a tout notre temps. Elle a reniflé et elle a commencé à tourner le variateur. Elle a testé plusieurs intensités. Je l'ai laissée faire, bras croisés. Pendant qu'elle se concentrait sur le variateur, je n'ai pas pu m'empêcher de demander : c'est moi, c'est ça ? C'est de me voir, moi ? Je pensais à voix haute. Comme si je venais seulement de comprendre ses mots à elle, alors qu'elle les avait prononcés plusieurs minutes auparavant. Elle avait quand même dit : tête de clebs. Quelle que soit la race : c'est violent. Elle tournait le variateur en essuyant la morve qui coulait de son nez. Elle montait, elle baissait. Ce n'était pas très érotique tout ça. J'ai dit : ce n'est pas très érotique tout ça. Et puis j'ai essayé de résumer la situation, car je ne voulais pas céder à la colère : la tête de clebs, j'ai compris. Mais, à part ça, qu'est-ce qui te gêne ? Y a-t-il une partie qui te gêne ? Je veux dire : une partie de mon corps ? Ou l'ensemble ? Dis les choses ! Je voudrais bien t'aider. Je veux bien me mettre à ta place. Mais si tu ne dis rien, nous n'avancerons pas. Et, tout en tripotant le variateur, elle a dit d'une voix chevrotante : l'ensemble. Quoi l'ensemble ? C'est l'ensemble qui la gênait, pas une partie de mon corps en particulier, mais l'ensemble. Je lui ai foutu une deuxième baffe et son crâne a tapé contre le mur. Sa main s'est immobilisée sur le variateur. J'ai dit : voilà, tu t'es fait mal, mais tu t'entends des fois ? Tu entends ce que tu dis ?

J'ai dit : tu me cherches là. Et moi qui continue à avoir envie de te voir, à avoir envie de toi. Je ne suis pas sûr que tu le mérites. Je ne sais pas ce que tu mérites. Je préférais quand tu écrivais tes poèmes à la con. Mais il faut croire que la poésie n'intéresse plus Madame. Et la poésie au lit, ce n'est pas son truc. Elle m'obligeait à gueuler, je m'énervais, je n'aime pas m'énerver, j'ai beaucoup de mal à me calmer après. J'avais besoin de m'occuper, penser à autre chose, sans quoi j'allais m'énerver encore davantage, je me connais. J'ai décidé de changer l'ampoule à Led. Je suis sorti du lit et je suis allé chercher un tournevis et une ampoule à filament dans le garage. Je suis retourné dans la chambre et je suis monté sur le lit. Elle était recroquevillée contre le mur. Et moi, tout nu, à tenter d'atteindre les deux petites vis qui fixent le plafonnier. Ce n'était pas très érotique tout ça, mais je voulais aller au bout, nous donner toutes les chances de nous sortir de ce mauvais pas. Elle regardait ma queue avec une drôle d'expression. J'ai demandé : c'est ma queue qui te gêne ? J'ai interrompu mon dévissage parce que j'avais mal à l'épaule. J'ai dit : réponds-moi. C'est ma queue ? Tu me le dirais si je te faisais mal ? Je te fais mal quand je te pénètre ? Elle ne répondait pas. J'ai dit : je fais au mieux pourtant. Et s'agissant du diamètre de ma queue, je ne peux rien y changer. On m'a fait comme ça. J'ai recommencé à dévisser. À toi de t'ouvrir un peu aussi. Il faut y mettre du tien. Tu peux le faire en plus. Je t'en sais capable. Tu en as déjà été capable. C'est très psychologique chez vous, les femmes. Il suffit d'y mettre un peu du tien. Je ne vais pas me faire liposucer la queue, tu imagines bien. Et je lui ai adressé un regard de connivence auquel elle n'a pas réagi. Parfois, elle est vraiment butée. J'ai dit : chacun doit faire un effort, tu dois faire un effort aussi, tu comprends ? Et elle a acquiescé. Déjà ça. J'ai libéré le plafonnier de verre et je le lui ai tendu. Tu peux me le tenir, s'il te plaît ? Elle a pris le plafonnier et j'ai changé l'ampoule. C'est alors qu'elle a projeté le plafonnier contre le mur face au lit. Des éclats de verre se sont dispersés un peu partout. J'ai hurlé : non mais ça va pas là ? Je lui ai envoyé un coup de pied, elle l'a pris dans la mâchoire et sa tête a de nouveau tapé contre le mur. J'ai gueulé : ces putains d'ampoules à Led !

Je suis allé chercher du coton dans la salle de bains et j'ai essuyé son nez qui saignait. Sa mâchoire n'avait rien. Peut-être une légère ombre apparaîtrait-elle demain. Ça passe vite. Elle est de celles qui cicatrisent bien. J'ai dit : il faut qu'on redescende un peu, toi et moi. Pourquoi faut-il systématiquement qu'on se foute dessus? Elle n'a rien rétorqué. J'ai dit : ce n'est pas possible ce que tu m'as dit. Il faut que tu comprennes ça : tu as eu des mots très durs. Tu n'as pas été gentille. Tout ça parce que je voulais te voir. Tout ça parce que j'aime te voir. Et être à ce que je fais. Ne me demande pas pourquoi je préfère le faire à la lueur de la lampe de chevet. Ne me demande pas pourquoi j'aime te faire l'amour, ni pourquoi je t'aime. On aime vraiment le jour où l'on ne sait plus pourquoi. Tu n'es pas d'accord? Je suis sûr que tu es d'accord. Je me suis quand même permis d'ajouter : quand je pense que c'est pour toi que j'avais installé le variateur, c'est toi qui l'avais demandé. Je lui ai caressé les cheveux et je lui ai souri. Je me suis dit que ça lui allait bien ce beau visage triste. Elle aurait pu être actrice. J'ai dit : sur la table de jardin en été, ça te dirait? Elle a fermé les yeux. Elle s'est mise à pleurer. Les nerfs lâchaient. J'ai dit : tu es fatiguée. Dors. Repose-toi. On parlera de tout ça à tête reposée.

J'ATTENDRAI

I

Dix-huit heures. C'est ce que tu as dit. Le temps de quitter le bureau et d'arriver. « Dix-huit heures sans faute », as-tu cru bon d'ajouter. C'est curieux : tes mots sont devenus des promesses. Et je crois qu'on promet parce qu'on ignore si on tiendra parole.

Je n'ai jamais réussi à être à l'heure à un rendez-vous : je me retrouve systématiquement en avance. Depuis toi, c'est pire. Le rendez-vous a lieu chez moi. Je suis sorti vers quinze heures pour faire quelques courses, nous acheter à boire, de l'eau, un soda, du rosé, si jamais l'envie te prenait ; je suis allé à l'épicerie qui se trouve à la sortie du métro Saint-Placide, songeant déjà à rentrer ; pour quoi faire : mettre le rosé au frais, et le soda, et l'eau, et t'attendre.

Je me glisse sur le toit pour te guetter. C'est une sorte de petite terrasse comportant un rebord qui rend la manœuvre peu dangereuse. J'allume une cigarette. J'ai le temps de penser à mille choses sans importance. Qu'on distingue à peine le Sacré-Cœur aujourd'hui, par exemple. Qu'il faudra vider cette gouttière emplie de mégots. Que les voisins d'en face m'exaspèrent – deux bourgeois d'une soixantaine d'années, spectres muets dans un appartement immense. Un écran plasma est accroché dans le salon. Ils passent leur vie devant, à chercher de quoi les divertir, égrener le temps moins lamentablement et c'est lamentable quand même. Pourquoi faut-il que les gens n'aient aucune imagination. En revanche : affables et revigorés lorsque des invités pénètrent leur antre de solitude. Je repense toujours à cette phrase qu'envoie Glenda Jackson à sa mère dans *Sunday Bloody Sunday* : « Avoir une liaison avec quelqu'un n'est pas pire que d'être marié à l'heure du repas. » Qu'en dirait ma voisine d'en face ? Enfin, qu'irais-je parler de notre liaison avec ma voisine…

Mon écran plasma à moi : la rue de Vaugirard où je verrai apparaître, à dix-huit heures, ton chignon désordonné et tes jambes.

Je sors sur le toit bien trop tôt. Comme dans l'espoir d'un miracle. Que tu finisses (et arrives donc) plus tôt. Je vérifie les messages sur mon portable. Je prie pour que tu ne m'aies rien envoyé car c'est toujours pour prévenir que tu ne viendras finalement pas. Que tu ne *pourras* pas.

Il y a quelques mois encore, nos messages parlaient la même langue, ils disaient l'attente. Que notre heure vienne.

La voisine d'en face doit penser que je les mate. Ce en quoi elle aurait raison. Ils ont un autre écran plasma dans leur chambre qui est installé juste à droite de la fenêtre ; de sorte que, la nuit, je vois la lumière pixélisée s'agiter sur leurs deux corps allongés et inertes. Parfois le mari se lève, il est en tee-shirt et en caleçon ; il va se servir un verre et s'attarde dans le salon, cinq minutes, jamais plus. Il revient s'allonger. Sa femme tourne alors la tête vers lui puis revient à son « programme ». Je ne saurai jamais ce qui se passe chez mes voisins. Peut-être ont-ils gardé une belle amitié l'un pour l'autre, justifiant ainsi de ne pas pouvoir vivre l'un sans l'autre. Peut-être la femme a-t-elle passé sa vie à attendre quelque chose de son homme qui n'est jamais venu. Peut-être est-ce un financier ou un dentiste qui va voir ailleurs aussi souvent que possible. Chaque fois que je t'attends sur le toit, peu avant dix-huit heures, et plus souvent bien trop tôt, je me plais à inventorier les hypothèses. Avec une constante : ce sempiternel écran qui s'éteint si rarement. Et ça, c'est pire qu'autre chose, quoi qu'on en dise.

Il est dix-sept heures trente et c'est absurde, je le reconnais, de lambiner là. Mais je n'arrive pas à travailler les jours où tu viens. Chaque rendez-vous fixé n'est jamais qu'une promesse qui pourrait ne pas être tenue. Je suis, tout du moins, à peu près sûr que tu seras en retard. Nos rendez-vous se font de plus en plus rares et, chaque fois, tu trouves le moyen d'être en retard. Tu t'arrêtes devant une vitrine, puis une autre. Si seulement c'était pour t'acheter un vêtement parce que tu viens me voir. L'une de ces jupes d'été qui laissent à nu tes genoux.

Ne pas se rappeler les premiers mois. Les mois du déchaînement. Quand tu te débrouillais pour passer presque tous les jours avant de rentrer chez toi. Quand tu ne pouvais pas faire l'économie de ces parenthèses entre nos bras. Curieuse perfection.

Je te revois arrivant le souffle court, avec une telle impatience. Nous faisions l'amour aussitôt. Tu ne restais jamais très longtemps : ton mari t'attendait. T'attendait-il comme je t'avais attendue ? Disons qu'il attendait que tu rentres. Je te disais : si nous l'avons fait, c'est qu'il le fallait. Et la preuve : c'était bon. Nous nous étonnions chaque fois que ce soit si bon. De ton côté, tu m'as souvent répété : toi et moi, qui aurait cru ça possible ? Certes.

La première fois, c'était ici même. À l'abri de mes sous-pentes. Un 4 avril. Il y a deux ans maintenant. Je suis incollable sur les dates. *Nos* dates. Nous rentrons d'une soirée à laquelle Stefan n'a pas pu assister (déplacement à Berlin, comme cela arrivera fréquemment). Nous nous connaissons déjà à l'époque. Nous commençons même à devenir amis. Dans le hall de l'immeuble, alors que je vais pour ouvrir la porte, tu dis : « Embrasse-moi » et tu le fais. J'écourte (réflexe coupable qui m'échappe littéralement) et je t'accompagne jusqu'à la station de taxi. Je rentre chez moi, à deux pas, et je reste mortifié d'avoir fait ça, t'avoir repoussée. De ton côté, tu dévies la course du chauffeur et me rejoins, certaine de ce qui doit arriver et qui arrive.

Là : ce que j'appelle les mois du déchaînement. Qui ont duré pas mal de temps. Quand je n'avais même pas à t'attendre : tu arrivais déjà. Quand je supportais que ce *nous* ne nous appartienne pas. Quand j'ai commencé à me convaincre que tu viendrais me rejoindre définitivement un jour prochain.

Ces premiers mois ont duré pas mal de temps, disais-je. Ce qui signifie qu'ils n'ont pas duré. Ils ont laissé place à un banal saccage. J'étais et je suis consentant. J'allais et je vais au désastre, mais en connaissance de cause. Un désastre auquel je survivrai, obscurément occupé à m'en faire le témoin, gardien scrupuleux d'une ornière dont j'ai mis un point d'honneur à ne pas sortir.

La voisine d'en face est seule devant une tasse de thé. Elle a le regard fixe. Elle ne prête pas attention à l'écran qui s'agite dans le vide. Je suppose qu'elle a coupé le son ; cela vaut simplement pour la présence. Elle souffle sur son thé, assise quasiment au bord du canapé, les genoux serrés. Sans doute attend-elle comme moi. Lui. Elle échange quelques mots avec la femme de ménage qui a fini. Je me plais à l'imaginer évoquant les produits d'entretien dont elle a décidé de débarrasser la maison. Dorénavant on passera tout au vinaigre blanc. Elle a vu ça à la télé. Meilleur pour la santé. Et la planète. La femme de ménage acquiesce mollement et fait remarquer que l'odeur est très désagréable. Il faut s'habituer, voilà tout, s'entend-elle dire. Les deux femmes se saluent sèchement. Le thé a trop refroidi. Elle l'aime presque brûlant. Ce « presque » tient à peu de choses. Combien de temps encore avant qu'il ne rentre ?

Ne pas comptabiliser les mois et les quelques centaines d'éternités que j'ai passés et que je passe encore à t'attendre. Et à t'en vouloir. Il y en a eu probablement plusieurs dizaines de trop (à t'en vouloir), injustes. Et il y en aura d'autres. Mais entre les moments où tu ne *désires* pas me voir et ceux où tu ne *peux* effectivement pas : comment pourrais-je faire la différence ?

Je vérifie encore une fois mon portable.

L'animosité que tu m'inspires quand tu te décommandes m'aide à moins souffrir.

Et quand tu finis par sonner, toujours me demander : «A-t-elle fait l'amour avec lui hier? Aura-t-elle envie de moi?» Deviner la réponse trois minutes après ton arrivée.

Ces moments où tu n'as pas envie de moi, envie de rien en particulier, sinon que nous passions un bref moment ensemble : je les déteste. Je te sers un verre. De n'importe quoi. Tu as le choix. Tu parles doucement. Moi : avec ma mauvaise voix. Je reste campé derrière le bar américain. Et toi, à prendre et reposer ton verre, faire en sorte qu'il ne claque pas sur la table basse. Parfois tu dis que tu es fatiguée. Ou préoccupée. Lorsque je devine qu'il n'est pas question de Stefan mais d'un ennui au bureau, je me force à te poser une ou deux questions, pour la forme. Je t'écoute d'une oreille, désespérant que nous n'ayons pas fait l'amour aussitôt après ton arrivée. Tu finis par te lever, tu fais le tour du bar américain et tu m'enlaces par-derrière. On dirait que tu as envie de me rassurer, ou de me consoler. Pas de t'excuser. Tu dis les choses simplement. Pour ne pas avoir à dire plus brutalement : pas envie, pas aujourd'hui. Tu me serres et ça signifie : je sais que tu es déçu, mais c'est comme ça. Et puis, il faut déjà que tu rentres. Je te laisse repartir. Le désir blême.

Ces moments-là : de plus en plus souvent.

Un jour, j'ai décrété : me branler autant qu'elle baise avec son Allemand pour ne plus être celui qui attend, fiévreux, qu'on veuille bien le faire juter.

Si la vie de mes voisins statufiés devant leur écran a quelque chose de lamentable, la mienne a quelque chose de pathétique.

La crainte quotidienne que tu m'aies épuisé. Je veux dire : que tu aies épuisé ce que tu cherches en moi (tu cherches quoi ?). La crainte que tu t'apprêtes à passer à quelqu'un d'autre. Et comme ça. Jusqu'au prochain encore.

Je refuse à présent catégoriquement les dîners à trois, avec Stefan. Il ne comprend pas, je sais. Mais c'est au-dessus de mes forces.

Ma voisine se lève, sa tasse à la main, et elle disparaît dans la cuisine. Que va-t-elle trouver à faire jusqu'à ce qu'il rentre ? Elle est déjà sortie aujourd'hui. À peu près en même temps que moi. Elle a dû aller au Bon Marché ou dans une boutique de décoration pas loin : elle a récupéré des échantillons pour ses rideaux. Je l'ai vue tout à l'heure faire ses essais. Elle va changer les rideaux du salon. Il faut bien changer de temps en temps. On se sent un peu autrement, du moins au tout début, quand on change les choses. La couleur des murs, les meubles de place. Elle a fait ses essais. Peut-être a-t-elle trouvé un motif qui lui plaît. Ou hésite-t-elle encore ? Lorsqu'il rentrera et qu'elle

leur servira un whisky pour l'apéritif, elle lui ten-
dra les échantillons. Tous deux assis dans le canapé
avec les informations sur l'écran, il palpera les
petits bouts de tissu. Puis elle se lèvera afin de lui
montrer en situation, près du mur. Il dira qu'il ne
se rend pas compte avec des échantillons si petits.
Il s'approchera, se penchera en grimaçant comme
les gens dont le verre des lunettes serait à remplacer. Il lui dira de faire comme elle veut et elle
détestera ce verdict qui n'en est pas un. Elle aurait
voulu choisir avec lui, d'un commun accord, qu'il
s'investisse dans le choix des rideaux. Lui, il pense
que c'est sa partie à elle. Il apprécie d'être consulté,
mais il s'en fiche un peu. Il se fiche de sa partie,
c'est ce qu'elle comprend là-dedans. Comme s'il
s'agissait là d'une affaire de bonne femme. Elle
dissimulera le découragement qui vient de la saisir
et, tandis qu'il reprendra place devant TF1, elle
l'informera, l'air de rien mais le cafard à la gorge,
que les Bonneuil ont confirmé pour samedi soir.
Elle passera en cuisine pour réchauffer ce qu'elle
a préparé en fin d'après-midi.

Il est dix-sept heures quarante-cinq. Le pire,
c'est que je vais quitter le toit car, j'ai beau être
tenté de te guetter, je préfère t'entendre sonner
et feindre une sorte de surprise. Je vais rentrer
et faire semblant de m'occuper. Je vais allumer
l'ordinateur et charger le projet d'affiche sur
lequel je travaille cette semaine. Je vais mettre un
peu de musique et faire en sorte que tu arrives en

plein morceau. Comme à la fin de ma journée de travail. Comme l'interrompant. Je vais te dire que je dois juste finir un «truc». Je vais effectuer une ou deux modifications sur l'ordi. Ce faisant, tout mon corps sera en alerte pour savoir comment tu m'arrives, dans quelle disposition, savoir ce qui m'attend. Car, après t'avoir attendue, le tout est de savoir ce qui m'attend.

Ne pas se rappeler les premiers mois. Quand je savais, en l'occurrence, ce qui m'attendait : l'amour. Ne pas se rappeler. Et je ne fais que ça. Parfois, je me dis que c'est tout ce qui me reste. Et la perspective d'un revirement soudain. On appelle ça un miracle. Auquel, mystérieusement, je ne renonce pas.

Sans doute mes voisins n'ont-ils absolument pas la vie que je leur prête. Si l'on met à part cet écran à la présence intangible. Et les échantillons pour les rideaux, je les ai vus. Et son regard fixe à elle, devant la tasse de thé. Il n'empêche : peut-être les choses ne résonnent-elles pas du tout comme je les imagine, vécues de l'intérieur.

Je ne prends jamais la peine de fermer les rideaux quand tu viens. Ma voisine nous a certainement vus nous étreindre, nous embrasser et nous déshabiller avant de basculer sur le lit ou sur le canapé. Joue-t-elle à s'inventer quelle est ma vie ? Appose-t-elle sur ce qu'elle voit des termes comme ceux que j'ai pu employer à son sujet? *Lamentable*. A-t-elle deviné ce qui se passe ici, entre ma silhouette penchée au-dessus de la rue de Vaugirard, nos corps pressés les premiers mois, nos mouvements plus distants à présent?

Cette fois unique. Stefan était à Berlin. Tu m'as fait monter. J'ai passé la nuit chez toi. Chez vous. Première et dernière fois. Tu m'as tout donné: le lit, la léthargie au milieu de la nuit, une conversation chuchotée après avoir éteint. C'est peut-être le plus beau moment de nous. Au matin, tu t'es habillée, maquillée; tu as rangé, traqué, effacé toute trace avec la crainte manifeste d'oublier des indices à vue. J'ai eu l'impression d'être un escort que tu allais payer l'instant d'après. Cette fois-là, cette unique fois, j'ai mesuré ta peur. Tu ne te sens pas coupable: tu as peur. Plus trivial.

Aujourd'hui, je peux dire cette phrase: j'ai dormi *une fois dans ma vie* avec toi.

Là: notre histoire d'amour.

Il m'arrive de racheter les *Fragments d'un discours amoureux* de Barthes. Je les relis et je fais des croix dans la marge. J'ai remarqué que, d'exemplaire en exemplaire, les croix ne sont évidemment jamais au même endroit. «On me dit: ce genre d'amour n'est pas viable. Mais comment évaluer la viabilité? Pourquoi ce qui est viable est-il un

bien ? Pourquoi durer est-il mieux que brûler ? »
Le jour où je t'ai fait lire cette phrase, tu as aimé
ce mot : brûler. Ça sonnait juste. Tout était là. Tu
étais comme soulagée de pouvoir me laisser sans
illusions. Je n'ai rien dit mais ça me pliait le ventre,
je pensais, je priais : pas brûler, mais durer le plus
possible.

J'ai brûlé.

Pardon : je brûle.

Et Stefan qui continue de durer.

Je sais qu'il a gagné. Par avance. Mais je vais à
la défaite avec l'impression d'être plus vivant. Va
comprendre.

Je t'ai dit, fin juin, que je résiliais notre contrat,
que c'était trop dur pour moi. Je savais que tu
serais invisible pendant près d'un mois d'été alors
je voulais en profiter pour me défaire de toi. Mais
voilà : on n'a pas tenu. Je m'en doutais. Dès ton
retour de Sardaigne : « Tu m'as manqué », as-tu
murmuré. Alors j'ai compris : ce n'est pas fini. Ce
n'est pas fini depuis un bon bout de temps.

Nos rendez-vous ont repris. Avec une irrégula-
rité cruelle. Un « de temps en temps » dont je sens
bien qu'il est à ton rythme. Au fond, nous n'aurons
jamais fait qu'aller à ton rythme.

C'est toi seule qui fixes nos rendez-vous. Je n'ose pas les quémander. Il me reste ça : l'orgueil.

Ce qui s'appelle : *brûler à petit feu*. J'en ris, à défaut.

Dix-huit heures dix.

Ma voisine ouvre l'une des fenêtres du salon. J'imagine son mari entrant dans l'appartement. Il est de retour plus tôt que d'habitude. Et, au lieu de s'en étonner ou de s'en réjouir, elle passe une jambe par-dessus la rambarde. Elle ignore pourquoi mais ce retour inopiné la fait mourir de chagrin et elle ne parvient à s'en défendre qu'à la force de cet ultime chantage : une jambe par-dessus la rambarde. Il se fige, approche lentement comme l'on fait dans ces cas-là, il prononce quelques paroles rassurantes d'une voix posée. Il lui demande ce qui se passe, il lui dit de venir lui raconter. Elle comprend alors que c'est son dernier chagrin, bientôt la délivrance, et elle saute.

Tu es en retard.

Et ma voisine époussette la nappe par la fenêtre.

Comment se fait-il qu'on puisse avoir envie de sauter à cause de quelqu'un ? Qu'une histoire d'amour puisse être plus importante que le fait d'être en vie ?

Je sens que ça monte. Je vais en prendre pour toute la soirée. Avant, j'avais mal le lendemain de nos rendez-vous. Maintenant c'est le jour même. Quand tu es en retard, quand je sens qu'il ne va pas être question de faire l'amour, c'est le jour même.

Je réintègre le séjour. Je vérifie que le rosé est bien frais. Et l'eau. Et le soda. Je vérifie mon portable.

Je pense à ma voisine.

Elle, au moins, elle sait.

Elle sait qu'il finira par rentrer.

II

Je remue la nappe pour la forme. Si Livia me voyait, elle me prendrait pour une folle ; elle se plaindrait encore parce que je ne lui fais pas confiance et que je ne peux pas m'empêcher de repasser derrière elle. Mais c'est simplement pour m'occuper et tenter de dissiper l'anxiété. Si j'étais fumeuse, je fumerais.

Valéry ne rentrera pas avant dix-neuf heures trente. Quant à toi, je t'ai dit de faire en fonction. Tu es si rarement sur Paris : j'imagine bien que tu as des tonnes de gens à voir. Tu es déjà bien gentil de passer une soirée avec nous. J'ai réservé au Lutetia. Autant en profiter : ils vont bientôt fermer pour rénovation. Tu as toujours adoré cet endroit. On t'y emmenait déjà quand tu étais petit et tu faisais honneur : ton plaisir était visible. Tu ne te doutes pas que j'ai réservé ce soir. Ce sera la surprise. Comme pour te remercier de passer la soirée avec nous. C'est ce que je rappelle toujours à Valéry quand il accuse la distance : on a connu fils plus ingrats, des fils qui ne reviennent pas, sinon par devoir, une ou deux fois par an. Nous avons beaucoup de chance avec toi : tu reviens de ton plein gré et à intervalles réguliers. Ça a été l'une de mes plus grandes craintes quand je t'ai vu grandir : que tu n'aies plus ni besoin ni envie de nous voir. Pire : que nous fassions mal sans le vouloir au point de briser l'amour des dix premières années. Ça te ferait certainement sourire. Je sais que mes peurs à ton endroit ont toujours été innombrables. En l'occurrence, j'aimerais que ton sacro-saint texto arrive, celui qui me dira que tu as bien atterri. Je déteste te savoir dans l'avion. Si j'avais su que tu serais amené à le prendre quatre fois par semaine... Pour moi, un ingénieur du son fait des tournées en France et voilà ; je ne pouvais pas imaginer ça : l'étranger. Ni même au moment où tu as signé avec Avishai. Désormais, c'est tout ce que je te demande : un texto chaque fois que tu atterris. Avant, tu arrivais bien à me cacher certains vols, m'évitant quelques moments d'inquiétude, mais avec internet je suis au courant de tout. Souvent, la journée, je m'assois sur le canapé du salon et je mets internet sur le grand écran, Valéry m'a montré comment faire. Je vais sur le site d'Avishai et je regarde les dates de tournée. Une fois que j'ai vérifié les destinations de la semaine, je rêve sur les villes où vous jouez : New York, Londres, Saint-Pétersbourg, Québec, Milan... J'ai toujours une pointe d'angoisse quand vous retournez en Israël. Je comprends qu'Avishai ait cette notoriété chez lui, mais j'ai peur qu'il

144

ne t'arrive quelque chose, en plus de l'avion. On entend si souvent parler de tirs de roquettes. Valéry affirme que tu as raison de travailler pour un artiste qui te fait voir du pays; et, ce faisant, il y a une pointe d'accusation dans sa voix, car c'est à cause de moi que nous aurons si peu voyagé. J'ai pourtant été jusqu'à suivre un stage de simulation à Air France pour me calmer. Rien n'y fait. Alors je me contente d'inventorier les villes où vous jouez et de me faire un peu rêver; j'essaie de deviner dans quel palace vous logez (vous n'êtes jamais à moins de trois étoiles). Ton père dit toujours que, si je ne faisais pas tant d'histoires, nous pourrions te suivre aux quatre coins du monde; nous choisirions nos voyages en fonction de la tournée. Ça aurait «de la gueule». Je veux bien croire. En attendant, ce n'est pas plus mal comme ça : tu n'as pas tes parents incessamment sur le dos. Nous nous contentons de venir vous écouter à Pleyel ou au Bataclan. Chaque fois, je prends des places plutôt au fond et nous contemplons la régie son avec émerveillement. Ton royaume. Tu n'y es pas encore quand nous arrivons dans la salle : tu t'y installes dix minutes seulement avant le début du concert. J'aime beaucoup ce moment; pour moi, le spectacle n'est pas encore sur scène mais aux abords de cet alignement compliqué de manettes et de boutons. J'aime te voir prendre place, vérifier je ne sais trop quoi, puis attendre sagement que le top soit donné. J'imagine l'adrénaline qui monte dans ta poitrine. Tu racontes toujours que vous vérifiez les micros jusqu'au dernier moment, mais sait-on jamais ce qui peut arriver. Il doit être enivrant ce trac-là : l'ultime moment où l'on va savoir si le son sort correctement. J'ai toujours le cœur qui bat aux premières notes. Je ne suis complètement rassurée que lorsque j'ai entendu tous les instruments. Alors je peux vraiment profiter. Valéry, lui, ne semble pas plus inquiet que ça. Il est fier de bout en bout. C'est très net quand tu nous emmènes en loges pour saluer Avishai. Là où j'ai tendance à me faire toute petite, Valéry adopte, lui, un air expert et prend quasiment Avishai à part pour lui adresser remarques et compliments, le tout dans un anglais très approximatif. Avishai est très patient et toujours adorable. Là encore, nous avons de la chance. Tu aurais pu tomber sur quelqu'un de tordu ou qui absorbe je ne sais quelle drogue. Bien sûr qu'une mère doit penser à ça. Et ce n'est pas pour ajouter un alinéa au compte de mes nombreuses terreurs à ton endroit. Mon portable vibre. Je me précipite : tu m'écris que tu as bien atterri. Un étau se desserre immédiatement dans ma poitrine et je respire largement. Il est dix-huit heures trente, tu vas prendre un taxi : si ça roule bien, il se peut que tu sois là avant ton père. Ce serait bien un moment pour nous. Je suis navrée de former ce vœu secret mais oui : j'aimerais beaucoup avoir un moment rien qu'à nous, sans ton père.

Je passe à la salle de bains pour mettre un peu de *N° 5*. Je vérifie ma coiffure et mon rouge à lèvres dans le miroir. Je suis prête depuis plus d'une heure (Livia n'avait même pas fini que j'étais prête). Le cérémonial pour mon fils prend du temps, mais c'est ça qui me plaît. Quand il est là, Valéry me regarde faire mes allées et venues avec lassitude. Ça me rappelle quand je l'attendais lui au début de notre relation : une sorte d'errance absorbée.

J'ouvre l'une des fenêtres du séjour et je me penche vers la rue de Vaugirard. Je te guette. Quand ça roule bien, Orly n'est pas si loin. Dans quelques instants, je verrai le taxi s'arrêter au coin de la rue Blaise-Desgoffe, se mettre en warning, le temps que tu payes et demandes une note, puis je verrai ta belle silhouette s'extraire du véhicule, prendre ton sac dans le coffre et se diriger vers l'entrée de l'immeuble.

Peut-être étais-tu déjà dans le taxi quand tu m'as écrit le texto. Ce qui rend assez vraisemblable une arrivée dans le quartier relativement imminente. Ou l'as-tu écrit quand tu attendais ton bagage ?

Penchée au-dessus de la rue, j'ai le temps de penser à mille choses sans importance. Qu'on distingue à peine le Sacré-Cœur aujourd'hui, par exemple. Que le voisin d'en face m'agace à lorgner chez nous sans cesse. Bizarre, ce type. Il passe ses journées enfermé, penché sur son ordinateur. Il a à peu près ton âge. Une fille vient le voir. Disons qu'elle venait très souvent il y a encore trois mois.

Avant l'été, si je ne m'abuse. Depuis la rentrée, je la vois moins. Il m'est arrivé (c'est un comble) de devoir tirer les rideaux; ils n'ont aucune pudeur: ils font ça devant tout le monde pour ainsi dire. Au bout d'une heure, je peux rouvrir, ils ont fini, la fille est partie. Enfin, ce n'est pas arrivé depuis un bon moment. Les dernières fois, ils se sont contentés de bavarder. Je me demande s'il s'agit d'une pute. Elle n'a pas l'air. Non, ce doit être la fille qu'il aime.

Quel dommage que tu aies rompu avec Alma. Une chose que je n'oserai jamais te dire (ni à Valéry, tu penses bien): avec Alma, je ne me sentais menacée en rien. C'est peut-être détestable de n'avoir toujours pas lâché là-dessus. Un bas instinct de possessivité que je refrène comme je peux. Je m'entendais à merveille avec Alma. À t'en croire, c'est elle qui t'a quitté. Moi, je pense que tu as eu une liaison (ou peut-être davantage) à l'étranger. Et ça a probablement tourné vinaigre avec Alma. Oui, je pense plutôt ça: difficile de ne pas avoir de tentation lorsqu'on parcourt le monde à longueur de temps. Mais je n'en sais vraiment rien. Et je ne te demande rien. Je suis une mère exagérément inquiète, alors je ne vais pas en plus être intrusive.

Le voisin d'en face tourne en rond dans sa mansarde. L'appartement est constitué de trois chambres de bonne réunies. Ça ne doit pas faire plus de vingt-cinq mètres carrés. Il a passé un moment à fumer sur le toit (je détesterais le savoir là si j'étais sa mère; parfois il se penche vers la rue, il ne semble pas se rendre compte, on est au sixième tout de même). À présent, il fait les cent pas dans son petit séjour. Il attend la fille, c'est tout vu. Je connais la scène par cœur. Elle est en retard. Il doit commencer à être angoissé. À sa place, je prendrais tout de suite un anxiolytique. Un quart, ça n'a jamais fait de mal à personne. Moi, c'est ce que je fais quand l'un de tes textos tarde. Elle va bien finir par sonner, cette fille. Elle va entrer, l'embrasser, s'asseoir dans le canapé. Le malaise se dissipera aussitôt. Voilà ce qui va se passer.

Dix-huit heures quarante-cinq. Pourvu que tu arrives avant ton père. Je ne demande pas grand-chose. Dix minutes tous les deux.

Le voisin d'en face s'immobilise. Il tend l'oreille. Il croit sans doute percevoir des pas dans le couloir.

Si j'avais travaillé, j'aurais certainement fini par quitter Valéry. J'en aurais eu les moyens. Ne travaillant pas, je suis restée. Et, maintenant, le pli est pris. Il y a eu un mauvais cap à passer qui a coïncidé (très logiquement) avec ton départ de la maison. Il n'y avait pas internet à l'époque. L'appartement était une prison sans divertissement. Je n'avais aucun moyen de te rejoindre comme je peux le faire maintenant en suivant tes pérégrinations.

Je pense à cette chanson dans *Les Choses de la vie*. Tu te rappelles quand je t'ai montré ce film ? Tu ne sauras jamais pourquoi je t'ai montré ce film, pourquoi il m'a tant bouleversée. Michel Piccoli murmurant à Romy Schneider : « Il faut se quitter, Hélène. C'était l'amour sans l'amitié. » Si au moins j'avais eu ça, de l'amitié pour Valéry, et son amitié à lui. Stop : tu vas arriver d'une minute à l'autre ; il ne s'agirait pas que je t'accueille avec une humeur plombée, alors que c'est aujourd'hui encore l'un de mes plus grands bonheurs, ton arrivée, que dis-je, ton retour.

J'aperçois la silhouette de mon voisin qui attend lui aussi. Parfois, j'aimerais ressentir à nouveau ce tremblement fébrile de qui attend son amour et que j'ai connu, il y a longtemps. Oui, parfois je l'envie, tout en sachant bien que ce n'est plus pour moi. Il aurait fallu quitter Valéry pour revivre ça.

Je n'attends plus rien de Valéry. Je ne l'attends plus. Il peut bien rentrer à l'heure qu'il veut.

Toi, je t'attends.

Le voisin ouvre le réfrigérateur. Le referme. Il fait quelques pas, en somnambule. J'ai l'impression que la fille ne viendra pas aujourd'hui. Je ne sais pas d'où me vient cette intuition : la fille ne viendra pas. Elle a décidé de le quitter, de tout arrêter. Je me sens un mouvement d'empathie pour lui car – je ne saurais décidément pas expliquer d'où me vient cette intuition (qui n'est peut-être qu'un fantasme mû par une vague jalousie) – je suis convaincue que la fille ne viendra pas.

Et si Valéry ne rentrait jamais ?

Il regarde l'heure sur son portable. Il a compris. Il n'a pas d'anxiolytique chez lui ; ce qui est très dommage car il ne se sent pas bien, pas bien du tout même. La tension du désir s'est évanouie ; ne reste qu'une angoisse encombrante au milieu du thorax. Je connais. Cette chose qu'il a comprise – elle ne viendra pas – n'est pas encore frappée de réalité. Il peut pourtant revisiter froidement l'histoire et ses épisodes un à un : il voit la pente, le début de la dégringolade et la chute. Il sait très bien quand ça a commencé à mourir. Il sait très bien qu'à présent c'est mort. Mais c'est inadmissible, alors l'évidence de la raison ne peut rien contre cette sorte de sidération blême qui le paralyse. J'ai connu. Tout a dégringolé de la sorte avec Valéry. Valéry finissait toujours par rentrer, mais ça ne changeait rien : un jour, il s'est trouvé que c'était mort.

Le voisin décide de mettre un peu de musique. En attendant. En attendant quoi ? Lui viennent certainement des questions narquoises, mais ça n'atténue rien. Je l'imagine avisant le rayonnage de CD. Son regard traverse tout. On dirait que ses yeux n'arrivent plus à accommoder. Il se force à lire le titre des albums. Il s'arrête sur l'intégrale de Barbara. Dans le volume *Marienbad*, il y a cet air qu'il aime beaucoup : « Musique pour une absente ». Il met le morceau et, songeant à cette fille qu'il aime et qui ne viendra pas, il murmure en forme de dédicace (et de compensation vaine) : « Tiens. C'est pour toi. »

Mon portable sonne. C'est toi. Je décroche. Tu as une voix embarrassée. Tu me dis que, pour ce soir, ça risque d'être un peu compromis, tu es désolé, tu as reçu un appel d'Alma, alors voilà, tu attends confirmation mais il est très probable que tu voies Alma. Je te laisse parler, je force un sourire, comme si tu me voyais (je sais qu'on voit les sourires au téléphone). Je te demande où tu es. Tu es dans le taxi, ça bloque porte d'Orléans. Je te dis de faire « au mieux », toujours avec ce sourire forcé car je ne voudrais pas que tu entendes que je suis livide, alors je maintiens ce sourire qui doit ressembler à une grimace. Tu me dis encore qu'on se verra demain et je dis que oui, ce sera très bien, on se verra demain. Mais, en moi-même, je ne suis pas du tout d'accord avec ça. Je me faisais une joie de te voir ce soir. Je m'étais préparée à te voir ce soir. C'est ce soir que je voulais te voir. Ne pas pleurer. Ce serait ridicule. Je dis que ce peut être une bonne chose que tu voies Alma. On ne sait jamais. Il se pourrait que l'histoire reprenne là où vous l'avez laissée, et je le pense vraiment. Je serais tellement heureuse que tu retrouves Alma. Tu vois, c'est ça être mère : avoir envie de pleurer à cause de son fils et, au même moment, être heureuse pour lui. Je te dis de ne pas t'inquiéter pour ce soir. Tu sembles soulagé que je prenne les choses comme ça. Tu me demandes si j'avais préparé à dîner. Je dis : trois fois rien. Tu m'embrasses. Je t'embrasse. Et nous raccrochons. Toi soulagé. Moi étranglée.

Nous voilà bien avancés, me dis-je, plantée devant la fenêtre comme si je m'adressais au voisin d'en face. Nous voilà bien seuls.

Je décommande le Lutetia. Je n'ai pas envie de dîner en tête à tête avec Valéry au restaurant.

La clef dans la serrure. Il remarque tout de suite mon visage grave. Il me demande si tout va bien. Dieu sait pourquoi, je déclare que je m'inquiète pour le voisin. Valéry n'a pas l'air de bien comprendre et qui comprendrait à sa place ? Alors je répète, le regard dans le vague : « Je m'inquiète un peu pour le voisin. » J'ai ajouté ce « un peu » comme pour minimiser ce que Valéry doit identifier à une élucubration de plus. Et c'en est peut-être une : je viens d'imaginer le voisin en train de sauter du toit. Est-ce seulement plausible ? Qu'on puisse avoir envie de se jeter pour quelqu'un ? Sans doute. Il y a plein de gens qui font ça. Par amour. Moi, ça ne m'a jamais traversé l'esprit. C'était plus sourd. Moins solennel. Ce n'était peut-être pas de l'amour. Je ne saurai jamais.

Un verre de whisky va me faire le plus grand bien. Au fond, c'est ça que j'attends tous les soirs : le verre de whisky. Je me penche au-dessus du coffre à alcool et je commence par me servir. Je bois une gorgée tout de suite, comme l'on avale un médicament. Valéry me regarde faire. Puis je le sers, lui. Je dis : « Tiens. C'est pour toi. » Et, sans prendre la peine d'aller chercher l'eau pétillante et les glaçons à la cuisine, je me poste de nouveau à la fenêtre, lui tournant le dos, comme s'il n'était pas là.

Je pense à mon voisin.

Je me dis qu'il tiendra.

Il en reviendra.

On n'en meurt pas.

AUTOPSIE

Il est dix heures et le soleil éclaire à travers les rideaux blancs tes épaules brûlées par le soleil. Tu crèves de chaud, tout comme moi, mais tu sembles tranquille. Tu as une gueule de môme que rien ne peut atteindre ; c'est toujours ce que j'ai vu sur ton visage endormi, cette paix, et ça va plutôt bien avec tes cheveux brillants de cire que tu laves sous la douche mais que tu redresses aussitôt, que tu gomines comme un petit branleur alors que tu n'es pas loin d'avoir passé l'âge. Ne change rien, mon amour.

Je regarde tes épaules s'élever imperceptiblement.

Comme tous les soirs, je me suis endormie une jambe entre tes genoux, c'était doux tes poils blonds sur ma peau. Et comme tous les soirs, j'ai réussi à ne pas percevoir le moment où tu m'as abandonnée, chassée – désormais je m'endors le plus vite possible, j'oublie par avance que nous serons si loin l'un de l'autre dans ce grand lit, j'oublie que tu vas prendre le large, je m'endors et je te laisse me quitter, plonger sans moi dans cette solitude bienheureuse où je n'ai pas droit de cité.

Il est dix heures. J'ai les yeux grands ouverts. Mon avant-bras touche ton dos, j'ai cru un moment avoir rêvé ce contact. J'avance la main vers ta nuque et je sais que tes cheveux vont se refuser à moi, comme une rangée de barbelés. Ce matin sera comme les autres. Pas de raison particulière pour déroger à cette lutte vaine – ma main qui s'avance et finit par renoncer parce que tu ne m'appartiens plus, un ordre puissant refuse que me soit rendu ton désir, de toi pour moi, que tu as perdu, absence que je fais mine d'ignorer, pour te retenir, et parce que je préfère ça plutôt que rien. C'est tellement désarmant d'en arriver là : te préférer si loin de moi plutôt que rien.

Mais, aujourd'hui, je ne peux pas stopper cette avancée suicidaire. Ma main se pose sur ta nuque. D'abord, tu ne remarques pas. Puis elle finit par te réveiller. Tu fais comme si de rien n'était. Je vais me décourager, comme tous les matins, je n'obtiendrai rien. Toi, occupé à autre chose, même pas à rêver, même pas, être sans moi, déjà ça, libre de moi.

Ma main suit la ligne de ton dos. Tu as chiffonné le drap à tes pieds. Je regarde ton cul. Si seulement je m'étais lassée de ton cul mais je n'y arrive pas.

— Anna…

Ta voix déformée par le sommeil proteste. Mais Anna fait comme si elle n'entendait pas, ma main continue à avancer sur tes cuisses retournées. Quelque chose m'intime quand même l'ordre de ne pas y poser ma bouche (un truc de survie, une évidence, je ne peux pas m'humilier plus que ça, je ne peux pas t'investir comme une voleuse quand ta voix rocailleuse vient de me rabrouer salement). Mon homme plein de sommeil, tu sais quoi: j'aimerais connaître l'odeur de ton cul après ces heures passées sans toi, je t'aime jusque-là, petit con.

Tu ouvres les yeux. Je te fixe et j'ai l'espoir absurde que mon regard nous sauve de ton indifférence barbare.

Ma main remonte vers ton dos.

— Anna...

Le ton de ta voix n'est déjà plus exigeant mais implacable. Et, brusquement, il y a un silence terrible. Ma main s'immobilise au milieu de ce silence, l'édifice écroulé de notre amour.

Tu fermes les yeux de nouveau.

Ma main est restée à la hauteur de tes omoplates. Figée. J'ai une douleur brusque que je n'arrive tout d'abord pas à situer. Je sais confusément que mon corps refuse que je le maltraite comme ça, que je le blesse sur ta peau.

Je me demande ce que tu fais là, je me le demande tous les jours mais je n'en parle pas, ça pourrait durer toute la vie comme ça, peut-être que ça durera toute la vie, j'en viens parfois à l'espérer.

Mon homme, laisse-moi cette peau de chagrin qui nous tue, notre mort que je tiens en vie, à bout de bras, dont j'entretiens le souffle agonisant.

Ma main chauffe sur ton dos comme sur une plaque électrique et je l'y laisse.

Je n'ai jamais connu été plus chaud.

SIMONA

Le métro arrivait à Rambuteau et je répondais à un énième texto de Nicole. Je n'avais, semble-t-il, pas pris assez de citrons confits, ce qui n'a rien d'étonnant : je n'ai jamais su acheter ce qu'il faut ; je n'ai pas ce génie féminin – connaître intuitivement et sans erreur possible les besoins en fonction du nombre d'invités. Par crainte d'acheter trop, je finis systématiquement par acheter trop peu, ce qui doit dénoter un esprit pingre bien caché ou, tout du moins, un problème avec l'argent, a toujours prétendu Nicole avec l'air de ne pas y toucher. Je ne pense pas avoir de problème avec l'argent, il n'en reste pas moins que je suis nulle pour les courses. J'étais donc en train de confirmer à Nicole que je m'occupais du fromage, comme convenu, et que je rachetais en sus des citrons confits, évidemment le texto ne partait pas (le réseau a toujours laissé à désirer sur la ligne 11), Nicole allait encore monter dans les tours, et c'est là, essayant de trouver un tant soit peu de patience (il ne s'agissait jamais que d'une histoire de citrons confits, après tout), que j'ai balayé d'un regard machinal les Parisiens qui entraient dans la rame. J'ai tout d'abord cru à une hallucination ou, plus sûrement, à l'une de ces bévues dont je suis coutumière (je confonds assez facilement les gens, de sorte que j'ai appris à y regarder à deux fois avant de me jeter avec familiarité sur des inconnus) ; je me suis frayé un passage entre les voyageurs et j'ai progressé jusqu'au fond de la rame pour en avoir le cœur net. Bien sûr, il y avait ces cheveux courts (une coupe assez moche) ; mais, hormis la coiffure, pas de doute possible, même si j'avais toujours considéré que les probabilités me mettaient à l'abri de cette situation : c'était Simona. Simona que je n'avais pas revue depuis cinq ans, Simona que j'avais cependant cru voir apparaître un peu partout dans Paris les mois qui avaient suivi notre séparation (mais enfin : je m'en croyais sortie), Simona qui était censée maintenant vivre à Rome, Simona que je ne pouvais tout de même pas confondre avec quelqu'un d'autre, même affublée d'une coupe pareille. Et plus je me rapprochais d'elle (qui avait le regard plongé dans un livre de poche qu'elle tenait d'une main, un peu au-dessus des épaules et des têtes qui la ceinturaient), plus l'intuition lointaine se changeait en évidence : c'était elle.

— Simona ?

Un sourire s'est aussitôt dessiné sur son visage et j'ai été étonnée qu'elle n'ait pas même un léger mouvement de recul (je me vis toujours comme la peste mais il est vrai que je m'étais montrée particulièrement pénible les dernières semaines de notre vie commune ; à ma décharge : j'étais folle amoureuse et absolument pas résolue à l'idée que Simona me quitte).

— Ça alors ! a-t-elle prononcé avec cette pointe d'accent qui m'a toujours fait fondre.

C'était très amical. Peut-être trop amical. Comme si elle tombait sur une vague amie.

— Tu es en France ?

Les portes du métro se sont ouvertes mais presque personne ne descend jamais à Arts-et-Métiers à dix-huit heures trente un jour de semaine. Au contraire : ça charge. Je me suis retrouvée presque collée à Simona avec une odeur de vieux grenier qui provenait de son livre de poche.

— Je suis de passage, oui !

Et elle s'en est tenue là, tout sourire. Moi, j'étais méduséе de la voir vivante, à quelques centimètres de moi.

— Toi, ça va ? a-t-elle demandé en replaçant une mèche de cheveux derrière son oreille droite, cette oreille que j'avais embrassée, embrassée tellement de fois, comme tout le corps de Simona, je l'avais dévorée des milliers de fois, chaque parcelle d'elle, dont cette oreille, et l'autre aussi, et sa bouche, et l'arête de son nez, et son front, et tout d'elle, tout Simona.

Elle venait donc de me demander si ça allait. La réponse la moins approximative eût été : « Ton visage me tue, tu t'adresses à une morte. » Mais je me suis contentée d'acquiescer sans conviction.

J'ai alors remarqué qu'elle avait fait enlever ce grain de beauté (juste à droite de l'arcade sourcilière) que j'avais toujours trouvé suspect; elle m'avait enfin écoutée, j'ai donc dit:

— Tu l'as fait enlever finalement?

Et j'ai désigné du menton la discrète cicatrice. Elle a semblé étonnée que je parle de ça mais, quitte à trouver la force de dire quelque chose, j'aurais jugé indigne de lui demander de ses nouvelles comme l'on fait avec de simples connaissances à qui l'on adresse un «Ça va?» et dont on sait très bien qu'ils vont répondre par la positive quand bien même ils n'en pensent pas un mot (c'est, soit dit en passant, la question qu'elle venait de me poser, mais j'en prendrais conscience et m'en vexerais un peu plus tard), bref: il était hors de question de lui envoyer une phrase vide et c'est pourquoi je lui ai parlé de la disparition du grain de beauté, qui n'affectait en rien sa beauté à elle (la coupe de cheveux, c'était plus épineux); non, sa beauté n'était en rien altérée mais là n'est pas la question: c'était tellement étrange de lui faire face cinq ans après, il y avait quelque chose d'inconvenant à devoir jouer la cordialité, alors que j'avais dévoré son corps des milliers de fois, et que je connaissais l'odeur de ses cheveux par cœur, toutes ses odeurs, je pouvais encore sentir sa langue contre la mienne, je n'avais pas oublié ma langue à moi sur ses dents du bonheur (l'expression est stupide ou, en tout cas, pas à la hauteur du charme que revêtent deux dents savamment écartées, un peu mais pas trop, comme chez Simona précisément), je pouvais encore, disais-je, sentir l'effet sur ma langue de ce léger espace entre ses dents et, imaginant sa bouche humide, me revenait le souvenir indélébile de l'antre non moins humide et chaud de son sexe, les heures que j'avais pu passer à dévorer le sexe de Simona et à boire son plaisir, alors c'était compliqué de me tenir devant elle, tout habillée et revenue du temps, là, dans cette vulgaire rame de métro.

Laquelle est arrivée à République. Les portes se sont ouvertes bruyamment, quelques mètres carrés de marée humaine ont dégouliné sur le quai et j'ai vu Simona être emportée par le flot. À peine apparue, déjà disparue. Ça m'a déchiré le cœur.

— À bientôt! a-t-elle lancé, toujours avec ce sourire qu'au fond je ne lui connaissais pas.

Une petite foule est montée, le regard vide. Les portes ont claqué. Le quai a défilé. De plus en plus vite. Noir. Fin de séquence.

*

Je ne saurais dire comment je suis allée du métro Goncourt à la rue de la Fontaine-au-Roi. Je ne m'en souviens pas. Sans doute parce que je n'étais justement pas en train d'aller du métro Goncourt à la rue de la Fontaine-au-Roi : j'étais sur la ligne 11, entre Arts-et-Métiers et République, à contempler le beau visage de Simona, je le redécouvrais pixel par pixel, jusqu'à déceler cette légère cicatrice à droite de l'arcade sourcilière, j'étais sidérée, non pas tant par la cicatrice que par l'apparition de Simona, on s'en doute, et je me rappelle juste que ça m'a abattue de devoir l'admettre aussi vite et sans tenter un petit mensonge à moi-même ; totalement sevrée, j'étais capable de refaire ma vie, mais qu'on mette Simona sur mon chemin et j'étais *sidérée*, je pèse le mot puisque c'est le bon, j'en étais encore là, cinq ans après, en dépit de tous les efforts que j'avais déployés pour revenir à la vie après notre rupture, et en dépit (il faut bien prononcer cet autre mot) de *Nicole*. Nicole qui m'est tombée dessus sitôt que j'ai eu franchi le seuil de notre appartement ; évidemment, j'avais oublié le fromage et les citrons confits.

— Je voudrais qu'on m'explique comment on s'y prend pour systématiquement oublier quelque chose ! a gueulé Nicole.

Nicole était adorable de conjuguer sa phrase à la troisième personne du singulier ; c'est quand même bien moi qui venais d'oublier le complément des courses.

— On passe notre vie à faire des listes ! Et le pire : on s'y met à deux ! Des heures entières qu'on perd à faire des kilomètres de listes, tout ça pour qu'il finisse toujours par manquer quelque chose !

Elle a commencé à tourner dans le salon ; avec son tablier de cuisine et son bas de jogging, c'était un peu ridicule.

— Je passais juste prendre un Doliprane. J'ai une migraine pas possible.

— Et elle a une migraine !

— Je pars faire le complément. Tu as repéré autre chose qui manquait ?

— Tu as déjà bouffé, toi, un tagine de poulet sans olives ?

— Eh bien, je vais en acheter au passage. Ne te mets pas dans un état pareil.

Je me suis engouffrée dans la salle de bains. Je ne pensais qu'à une chose : redescendre et laisser le beau visage de Simona s'afficher sur les murs de Paris. J'ai cherché les anxiolytiques nerveusement, priant pour que Nicole ne débarque pas, ce qu'elle a fait, mais elle est restée sur le pas de la porte, comme pour ne pas me déranger sur la lunette des toilettes. J'ai gobé un Xanax.

— Pardon, j'ai encore crié, a dit Nicole.

— Ce n'est pas grave, chérie.

— Quand on pense au nombre de séances que je passe là-dessus ! Ma psy est parfaitement incompétente.

— Un partout. J'ai encore fait n'importe quoi avec les courses. Alors tu vois bien.

— Tu sais que maman prend un nouvel antidépresseur miraculeux ?

— C'est quoi ?

— Seroplex. Je devrais essayer.

— Qu'est-ce qu'il a de si miraculeux ?

— Tu le prends et tu es heureuse dès le lendemain.

J'ai médité cette perspective improbable tout en laissant le Xanax fondre sur ma langue.

— Un antidépresseur à cause d'une liste de courses, je ne marche pas, ai-je marmonné.

— Qu'est-ce que tu as dans la bouche?

— Le Doliprane.

— Un tagine de poulet ne devrait pas m'inspirer des crises pareilles, tu en conviendras.

— Tu es nerveuse parce que ta mère vient dîner.

— Raphaëlle, avale, s'il te plaît, je ne comprends rien à ce que tu dis.

Nicole a laissé passer quelques secondes.

— Je vais lui demander de m'en apporter une plaquette. Ça mérite d'être essayé.

Je suis restée devant le miroir à regarder mon reflet et je ne savais plus trop ce que je voyais.

— Tu tiens vraiment à ce qu'on lui annonce ce soir? ai-je tenté.

La voix de Nicole est repartie dans les aigus:

— Ah non, je t'en prie, tu ne vas pas me faire ça? Est-ce que je dois te rappeler combien maman a pris sur elle pour venir défiler avec nous?

Soixante-quinze ans tout de même! Elle a fini par s'engueuler avec à peu près tout l'immeuble à cause de sa gouine de fille à qui elle souhaite ardemment de pouvoir se marier, alors oui j'aimerais qu'on lui annonce ce soir, fais-moi ce plaisir. Et si je pouvais réussir mon tagine, ce serait encore mieux.

Je suis ressortie de la salle de bains et j'ai caressé le visage de Nicole. Avec sa rondeur pulpeuse et ses taches de rousseur, elle m'a toujours fait penser à Julianne Moore.

— On l'a dit, on le fait, l'ai-je rassurée.

Et j'ai forcé un sourire.

— Tu as une drôle d'haleine.

— Parce que je le croque. Ça agit plus vite.

Nicole m'a suivie dans l'entrée.

— Tu aurais donc préféré qu'on ne lui annonce pas ce soir, a-t-elle traduit avec un air sinistre.

Il n'y avait objectivement aucun argument en défaveur de l'annonce de notre mariage ce soir-là.

— Chérie, la migraine me fait dire n'importe quoi.

Elle a, elle aussi, forcé un sourire.

— J'y vais avant que ça ferme.

Et j'ai laissé Nicole au milieu de l'entrée. En refermant la porte de l'appartement, j'ai ressenti un soulagement qui m'a fait peur.

*

« Ça alors ! » avait donc été la réaction de Simona, à quoi il fallait ajouter un sourire qui témoignait d'une même connotation : un étonnement cordial, et davantage encore, presque réjoui, me suis-je dit en descendant les cinq étages de l'immeuble sans voir tellement où je mettais les pieds, tout juste guidée par le mécanisme de l'habitude. Que Simona ait fait montre de cet étonnement réjoui en me voyant dans le métro, alors que les dernières semaines de notre histoire avaient été si violentes, me laissait perplexe. J'avais été jusqu'à l'enfermer dans le bureau de l'appartement le soir de l'annonce de son départ, lequel avait tout d'abord été énoncé comme un simple (quoique très regrettable) départ à Rome, sa terre natale, avant que ne soit révélée la véritable teneur du voyage : un départ tout court, j'entends que je me faisais larguer. Alors je l'avais bouclée à double tour dans le bureau, comme craignant qu'elle ne s'échappe dans la minute. Nous avions crié, négocié, pleuré, reniflé et gémi chacune d'un côté de la porte, mais Simona était inflexible : elle ne pouvait plus s'accommoder de mon hystérie. J'avais bien tenté de lui expliquer qu'il ne s'agissait en aucun cas d'hystérie mais d'amour, mes justifications n'avaient rien pesé dans la balance. Hystérique ou amoureuse : Simona ne me supportait plus. Ou pour être plus précise : elle ne me «souffrait» plus, telle avait été son expression (sans doute glanée dans un livre ; il s'était toujours trouvé des trucs surannés dans le français de Simona). Bref, je l'avais laissée moisir toute la nuit, telle une preneuse d'otages exigeant sa rançon, que je n'obtiendrais jamais, avais-je fini par comprendre, c'est pourquoi je l'avais libérée au matin ; j'avais alors voulu la serrer dans mes bras (comme un otage, pour le coup, retrouvant ses proches), mais elle m'avait giflée, manifestement insensible au syndrome de Stockholm. Avaient suivi deux semaines d'une guérilla lamentable, à laisser par exemple ma clef enclenchée dans la serrure de la porte d'entrée pour que Simona ne puisse pas introduire la sienne et soit contrainte d'attendre sur le palier ou de découcher. Simona ne me supportait plus et je crois que, faute de pouvoir infléchir sa décision (partir et m'abandonner, m'abandonner et partir), j'avais tout fait pour qu'elle me déteste encore plus. Je me rappelle d'ailleurs qu'elle ne « souffrait » même plus ma présence dans l'appartement les derniers jours. Je la revois lorgner vers moi, tandis qu'elle faisait ses cartons et que je rôdais au fond de la pièce ; elle semblait surveiller une vilaine bête capable du pire. Parfois je lui inspirais des soupirs désolés. Elle disait : « Pathétique. » Elle disait : « Pourquoi t'humilier davantage ? » Simona avait l'ascendant sur moi, notamment grâce à ce français impeccable et j'avais beau la reprendre avec mauvaise foi en lui reprochant son lexique ampoulé, c'est toujours elle qui avait le dernier mot. Tout ça pour dire que Simona était allée au fin fond de la consternation : j'étais folle amoureuse, folle à lier et parfaitement consternante en effet. C'est donc ce qui m'intriguait : qu'elle ait pu faire montre de cet étonnement réjoui en me voyant à quelques centimètres d'elle dans la rame du métro. La logique eût voulu qu'elle ait un net mouvement de recul : l'infatigable hystérique était de retour, c'était du *Shining* pur jus. Mais non : « Ça alors ! » avait été sa réaction, à quoi il fallait ajouter le fameux sourire. Ça ne collait pas. Cinq ans d'accord : on a bien le temps de cicatriser en cinq ans, on a le temps de tourner la page mais, théoriquement, on ne rêve pas de recroiser cette folle qui nous a enfermés dedans, dehors, qui a pourri nos nuits, qui nous a menacés, qui ne nous a laissé aucun répit, jusqu'à la dernière minute, jusqu'au chargement du dernier carton… Non, on ne veut surtout pas revoir cette malade mentale et, si on la croise, on affiche malgré soi un masque d'effroi ou de découragement profond à l'idée de devoir discuter avec elle, ne serait-ce que le temps de trois stations de métro. Je ne parvenais pas à comprendre où Simona avait été chercher cet étonnement réjoui en me voyant, me suis-je dit tout en arpentant la rue Saint-Maur et sans m'apercevoir que je prenais la direction du traiteur italien où je n'avais pas mis les pieds depuis cinq ans sur ordre de Nicole. Il faut préciser que Nicole savait très bien pour Simona, elle m'avait trouvée dans un état de neurasthénie tellement avancé qu'il m'avait bien fallu justifier ces cheveux sales, ce teint verdâtre et ces vêtements négligés. Nicole ne pensait pas qu'on pût tomber dans de telles extrémités, elle n'avait jamais vu ça, et moi j'avais du mal à comprendre comment elle pouvait être amoureuse d'une épave comme moi, mais il faut croire que Nicole a toujours eu de l'imagination : elle avait dû me jauger comme l'on visite une surface habitable mais entièrement à refaire ; oui, elle avait estimé les travaux à vue de nez, elle s'était dit qu'elle en avait les moyens, et effectivement elle m'avait totalement retapée, alors inutile de préciser qu'elle n'avait, du même coup, jamais tellement porté Simona dans son cœur, pas en tant que personne (j'ai toujours insisté sur ma dose d'hystérie, j'ai toujours et bien malgré moi défendu Simona) mais en tant qu'objet d'amour tout à fait nocif dans mon cas particulier; alors Nicole ne tenait pas à ce que je fréquente ce traiteur italien, ne plus y foutre les pieds faisait partie de la cure de désintoxication. Et voilà que j'en prenais brusquement la direction avec une détermination tranquille et naturelle. Je fonçais dans la gueule du loup comme une conne.

Ce fut une véritable extase de pénétrer chez l'Italien. Le jambon Serrano me faisait de l'œil, l'huile d'olive me faisait de l'œil, et le gorgonzola, et les gros oignons baignant dans leur jus, et les cœurs d'artichaut, et les lasagnes, et l'Italien lui-même avec son accent délicieux, *buongiorno signora*, autant de signes qui me ramenaient à mon Italienne à moi, j'étais totalement enivrée, *je vais vous prendre des olives s'il vous plaît, non pas celles avec les amandes à l'intérieur, les grosses, voilà, j'en veux beaucoup, — ancora? — oui encore, et puis je vais vous prendre du taleggio, et puis de la tomme piémontaise à la truffe, et puis de la ricotta, et puis du provolone, ce soir on ne lésine pas, c'est un grand soir, vous savez, je vais me marier, — congratulazioni vivissime! — merci, vous êtes bien gentil, je vous dois combien?,* et je suis ressortie avec mon sachet d'olives (j'en avais pris pour dix) et mon plateau de fromages en kit, très contente de moi.

«Toi, ça va?» Telle avait été la question de Simona et il faut bien avouer que cette question cruellement amicale m'obsédait tout autant que

le reste. Comment, après avoir affiché un étonnement réjoui, Simona pouvait-elle me poser une
question si amicale, et toujours avec le même sourire, me suis-je dit tandis que je me dirigeais vers
le supermarché, que j'y pénétrais, que j'arpentais
les rayonnages à la recherche des citrons confits,
je ne trouve jamais les citrons confits du premier
coup, tout comme les achards, et cette putain de
question qui me revenait sans cesse en tête – toi
ça va ? – tandis que je demandais à un vendeur où
je pouvais trouver les citrons confits, tandis que
je finissais par les trouver quasiment dissimulés
sur un rayonnage au ras du sol, que j'accélérais
le pas pour aller payer, la mère de Nicole arrivait
à vingt heures, il était dix-neuf heures trente et
les olives pas plus que les citrons n'étaient encore
plongés dans le fait-tout de Nicole, ce qui n'allait
pas manquer de lui provoquer une crise, allons,
allons, et cette putain de question, toi ça va, cette
putain de question.

*

Nicole m'a arraché le sac d'olives des mains. Elle
l'a presque déchiqueté avec nervosité et l'a vidé
dans sa préparation.
— Citrons, a-t-elle murmuré à la façon d'un
chirurgien à l'intention de son aide-soignante.
Je les lui ai tendus.
— Il n'y avait plus les bio ?
— Je n'ai trouvé que ça.

Elle a poursuivi son opération, concentrée.

Elle s'était fait un rapide brushing et avait enfilé la robe Isabel Marant que je lui avais offerte pour ses quarante-cinq ans : noire, fuselée, laissant les épaules à nu, façon Julianne Moore dans *A Single Man*. Son Dior me parvenait entre deux effluves de tagine. J'ai passé une main sur sa nuque. Elle s'est interrompue, a imperceptiblement redressé la tête. De trois quarts, j'ai vu à sa fossette qu'elle souriait. J'ai déposé un baiser sur sa joue et je me suis mise au plateau de fromages.

Quand elle s'est retournée, elle a eu l'air effaré.

— Qu'est-ce qui t'a pris ?

Elle a désigné les fromages coupables. J'ai haussé les épaules innocemment, preuve que je ne devais pas avoir plus de trois neurones disponibles. Nicole m'a regardée droit dans les yeux, puis elle est retournée à son tagine. Je me suis éclipsée pour aller me changer.

De la chambre, je l'ai entendue accueillir sa mère. Le Xanax m'avait assommée. Il allait pourtant falloir faire preuve de réactivité : la mère de Nicole est une femme sympathique, mais elle est un peu comme ces chiens qui ne vous lâchent pas la jambe tant que vous ne jouez pas avec eux. J'ai rassemblé tout mon courage et j'ai pénétré dans le séjour d'un pas allègre.

— Ma chérie ! s'est exclamée Monique en me voyant.

Nous nous sommes fait la bise et je me suis

assise à côté d'elle dont la tête s'est mise (ou très certainement remise) à tourner, tel un radar à l'affût du moindre changement ou de la moindre nouveauté dans la pièce. Ses yeux se sont arrêtés sur le buffet.

— Qu'est-ce que tu as fait des cendres de ton père ?

Nicole a poussé un soupir ostensible.

— Sauf le respect que je dois à votre mari, ai-je répondu à sa place, c'était un peu curieux de passer devant cette urne à longueur de journée…

— Ce serait bien qu'on fasse ça vite, est intervenue Nicole.

— *Ça* quoi ?

— Disperser les cendres.

— On avait d'autres priorités jusqu'à maintenant, ce n'est pas toi qui vas me contredire.

— Il y a deux ans, maman !

— Encore faudrait-il savoir où.

— Tu sais très bien. Il a dit Oléron.

— Qu'est-ce que tu fais exactement ? ai-je demandé à Nicole qui jonglait avec les bouteilles apéritif, et ce n'était pas tant pour l'emmerder que pour tenter de couper court à cette conversation qui ne manque jamais de la déprimer, légitimement.

— Ben, je lui fais son Americano.

— Et le ruinart ?

Nicole a suspendu son geste.

— Merde, j'avais oublié. Tu préfères quoi, maman ? Un Americano ou du champagne ?

— Laisse. Maintenant que tu es lancée.

— C'est vraiment dommage, ai-je un peu protesté.

— Raphaëlle nous avait acheté du ruinart…

Monique a fait un geste obscur de la main.

— Tu sais bien que le champagne me donne des remontées acides.

— Même le ruinart?

— Tous! Je vais rester sur l'Americano.

Nicole s'est remise à la tâche.

— Dans ce cas, je vais me faire un Spritz, ai-je décrété.

Nicole m'a suivie des yeux.

— Un Spritz?

— Oui, j'ai envie d'un Spritz, me suis-je efforcée de rétorquer avec naturel.

— Si ça lui fait plaisir, a cru bon de commenter Monique, bien incapable de repérer le sous-texte que Nicole était manifestement en train de flairer.

— Mais on n'a pas de prosecco…

— Eh bien, je vais prendre un blanc lambda.

Nicole a observé un silence circonspect. Je suis partie chercher l'eau pétillante, le blanc, les glaçons et des quartiers d'orange à la cuisine.

— Tu as pensé à ma plaquette? a demandé Nicole à sa mère.

— Tu ne te sens pas bien en ce moment, ma chérie?

— Je ne tiens plus les mômes. Ils se croient déjà en vacances. Je suis obligée de faire la police toute la journée.

Je suis réapparue, tout équipée.

— Après tout, fais-m'en un, a dit Nicole.

Je me suis exécutée dans le plus grand silence.
Puis je lui ai tendu le breuvage. Nous avons trinqué.

— À Oléron, a dit Monique. En tout cas, il ne
faudra pas compter sur moi pour aller le voir si
souvent.

Nicole m'adressait des regards furtifs, comme
cherchant mon assentiment pour entamer son
annonce.

J'ai bu une gorgée de Spritz et j'ai aussitôt été
saisie par un infâme accès de tristesse. L'amertume
de l'Aperol : c'était Simona. C'est avec elle que
j'avais découvert le Spritz, c'est avec elle que j'en
buvais à l'apéritif, c'était son goût *à elle*. Et cette
putain de question qui a recommencé à ricocher :
« Toi, ça va ? » Où Simona avait-elle bien pu trouver l'allant pour me parler comme à une amie
alors que j'avais été son pire cauchemar ? Fallait-il
qu'elle soit si magnanime pour m'avoir pardonnée
et, du même coup, être en mesure avec le temps de
ne retenir que le meilleur de nous-mêmes ? Moi, je
n'avais toujours pas réussi à retenir le meilleur. Les
deux ans de félicité (agitée comme toute passion
peut l'être, émaillée de scènes, traversée de mouvements d'humeur, conséquence de ma jalousie,
de mon exclusivité et de mon hystérie), les deux
ans de félicité, disais-je, s'étaient voilés comme une
pellicule imprudemment exposée à la lumière et
ne me restait que la chronique douloureusement
précise des dernières semaines, avec cet axiome

final : Simona m'avait jetée, elle avait fini par ne plus me supporter et m'avait jetée ; voilà cinq ans que je ressassais ma somptueuse défaite et les deux ans de félicité me paraissaient du même coup aussi inaccessibles que Simona elle-même, alors où avait-elle été chercher la capacité d'écarter le pire, ne retenant que le meilleur et, par suite, de se montrer capable d'un tel sourire (qui, pour une raison énigmatique, m'avait paralysée, et même glacée, me dis-je *a posteriori*) ? Je tournais autour du funeste pot sans rien comprendre, sinon que le Spritz me foutait un cafard monstrueux, parce que le Spritz c'était Simona, et le taleggio aussi, et la ricotta, et le provolone, et les grosses olives…

— Tu as vérifié la date d'expiration ? a demandé Nicole.

— De ?

— L'Aperol. On ne l'a pas ouvert depuis des lustres. Je trouve qu'il a un goût…

— C'est une liqueur, on ne risque rien, ai-je murmuré d'une voix enterrée, et j'ai fini mon poison presque d'une traite.

Nicole s'est redressée.

— Maman, nous avons quelque chose à t'annoncer !

Si Simona avait été capable d'une phrase aussi anodine que «Toi, ça va ?», capable en outre d'un sourire si large et spontané, c'est qu'elle n'avait retenu que le meilleur et cela ne cessait de m'obséder. Serais-je moi-même capable un jour de dompter ma mémoire et mon cœur pour qu'ils

se montrent enfin raisonnables et minorent l'horreur des dernières semaines ? Simona, elle, avait ce
pouvoir. Encore qu'une ultime chose me résistât :
ce sourire précisément. Ce n'était pas un sourire de
connivence, le sourire de qui rétablit à la première
seconde la complicité des anciennes amoureuses,
non, c'était un sourire que je ne lui connaissais pas,
qui ne s'adressait pas à moi en tant qu'ancienne
amoureuse pour qui elle aurait eu un reste ou une
remontée d'affection, c'était un sourire qui m'avait
glacée – le sourire d'une étrangère, me suis-je dit
brusquement (et j'ai remarqué que Nicole me
regardait d'un air bizarre depuis trente secondes) ;
par ce sourire, je comprenais que je n'avais pas
eu affaire à mon ancienne amoureuse mais à une
étrangère, c'est ça, *détachée*, et sa petite question
ordinaire comportait le même détachement, par
ce sourire et cette question Simona se présentait
à moi *sans* notre passé, *sans* notre amour, *sans*
moi, elle suintait notre mort à présent lointaine et
entérinée (et tandis que Nicole continuait de me
fixer, je sentais la tristesse enfler dans mon thorax
et au fond de ma gorge) ; ce sourire de Simona et
cette question de Simona : c'était un sourire et une
question de circonstance, le sourire et la question
d'une femme polie, le sourire et la question d'une
femme qui *s'en fout*.

— M'annoncer quoi à la fin ? s'est écriée Monique.

Voilà : Simona n'en avait plus rien à foutre, à
tel point qu'elle ne craignait même plus de me

croiser, ma présence ne lui inspirait plus la moindre réaction, elle était à un stade d'indifférence qui l'autorisait à être chaleureuse, je n'étais que très abstraitement la femme qu'elle avait aimée, en réalité j'étais une femme qu'elle avait cessé d'aimer depuis tellement longtemps, peut-être même se demandait-elle comment elle avait pu être amoureuse de moi, je ne lui faisais plus ni chaud ni froid, son visage me tuait mais mon visage à moi ne bousculait pas la moindre particule en elle, je n'étais qu'une pauvre fille qu'elle était tout juste étonnée de recroiser, à qui elle demandait des nouvelles et qu'elle oublierait dix minutes après avoir quitté la rame du métro.

— Raphaëlle et moi, nous allons nous marier, maman !

Et tandis que Monique prenait une profonde inspiration pour donner du coffre à son exultation, j'ai éclaté en sanglots. Les larmes se sont mises à couler comme une poche d'eau qui cède enfin, délivrant des heures et des heures de fuite. De longs gémissements m'échappaient, que je tentais d'enrayer, mais c'était aussi irrépressible que les cris pendant la jouissance. Nicole et Monique sont restées statufiées. Et moi de pleurer et pleurer encore en contemplant mon verre de Spritz vide.

— C'est l'émotion, a déclaré Monique.

Et j'ai fait oui de la tête.

Nicole m'observait sans savoir quoi faire, Nicole qui est loin d'être conne et devait bien se douter que je ne pleurais pas d'«émotion», comme le supposait sa mère. Bien sûr, elle n'aurait jamais été jusqu'à imaginer que j'avais croisé Simona l'après-midi même dans le métro, tout juste pouvait-elle constater que l'annonce de notre mariage n'allait franchement pas de soi pour moi. Sans compter ce florilège *made in Italy* que je sortais de mon chapeau depuis le début de la soirée. Étais-je à ce point ensorcelée pour provoquer Nicole de la sorte? Nicole avec qui je vivais pourtant depuis maintenant cinq ans, Nicole qui m'avait sauvée, et quand bien même j'étais nulle pour les courses, quand bien même elle montait dans les tours trois fois par jour, c'est quand même bien grâce à elle que j'étais revenue à la vie, que j'avais réappris la vie, et l'amour; elle aussi je l'avais dévorée des milliers de fois, chaque parcelle de son corps, d'elle aussi je buvais le plaisir, et que n'avait-elle bu le mien, elle qui m'aimait, et que j'aimais, sans doute pas dans ce mouvement de passion que j'avais connu avec Simona, non, autre chose, plus proche de l'amour probablement, même si trouver Simona sur mon chemin avait le don de me faire douter. Nicole: pas une passion italienne, pas la *dolce vita*, mais la vie douce. Nicole m'observait donc, ne sachant trop quel enseignement tirer de mon effondrement (qui se calmait; plus je regardais Nicole me regarder et plus je me calmais). Elle était belle dans sa robe Isabel Marant avec cet air de profonde incertitude, elle était belle et c'était compliqué de la voir en proie au doute, peut-être était-elle en train d'imaginer que j'allais tout foutre en l'air, que j'allais lui dire non, maintenant que l'annonce du mariage avait été prononcée devant Monique, peut-être craignait-elle que l'ancienne Raphaëlle ne surgisse à nouveau, ranimant son seul talent avéré : le sabordage ; et j'avais un mal infini à soutenir son regard, c'est vraisemblablement ce qui m'a calmée, je me suis aperçue qu'il était insupportable de voir Nicole imaginer le pire.

Monique s'est levée et s'est dirigée vers la cuisine.

— Eh bien, on va fêter ça !

Elle est revenue dans le séjour en nous tendant la bouteille de ruinart.

— Qui fait l'homme chez vous ?

— Maman, je t'interdis ce genre d'humour ! a rugi sa fille.

Nicole a pris la bouteille avec mauvaise humeur. J'ai attrapé trois coupes dans le buffet, manquant renverser l'urne du père. Le bouchon a sauté. Nicole nous a servies.

— Et vos remontées acides ? me suis-je inquiétée (plutôt timidement parce que c'était mon retour à la parole).

Monique a de nouveau dessiné dans l'air l'un de ces gestes dont elle a le secret et elle a sorti une plaquette de médicaments.

— C'est l'heure du Seroplex, a-t-elle annoncé. Ça tente quelqu'un ?

Nicole m'a regardée. J'ai regardé Nicole.

Monique a levé sa coupe. Nous avons fait de même.

*

Nous avons pris place à table tandis que Nicole allait chercher le tagine à la cuisine. Monique a déplié la serviette sur ses cuisses et a commencé à farfouiller dans son téléphone portable.

— Je vous sers du vin?

— Avec plaisir, ma petite.

D'un doigt expert, elle a balayé l'écran, s'arrêtant à intervalles réguliers avec un air pénétré.

— Ça n'a pas assez mijoté, s'est plainte Nicole en posant le plat au centre de la table. Tendez-moi vos assiettes. Maman, qu'est-ce que tu fais?

— On devrait tous faire un peu de ménage de temps en temps. Pour commencer, je ne veux personne de l'immeuble.

— Tu parles de quoi?

— Du mariage! On va écrémer, tu vas voir ça. Les Fontaine, par exemple: je ne boirai plus de votre eau.

— Qu'est-ce qu'ils t'ont fait?

— Ils m'ont tenu des propos tout à fait choquants que j'aurai la délicatesse de garder pour moi. Et puis, avec l'âge ils sont devenus barbants. Supprimer. Bon débarras.

— Et bon appétit.

— Les Garcia, ils ne sont pas venus à l'enterrement de ton père. *Exit*.

186

— Ils étaient à l'autre bout de la Grèce!

— Jean-Pierre n'a pas choisi de mourir un 3 août! Il serait bien étonné d'apprendre qu'ils sont restés le cul vissé sur leurs serviettes à Patmos!

— Maman, tu ne vas pas te servir de notre mariage pour régler tes comptes?

— Ce sont aussi les tiens, ma chérie.

— C'est bon? m'a demandé Nicole.

J'ai brandi mon pouce levé pour la rassurer.

— Même les olives?

— Croquantes, quoi.

— Plus je ferai le tri, moins il y aura de cons à votre mariage, a poursuivi Monique.

— Mange, maman!

Elle a saisi sa fourchette et attrapé un petit bout de poulet, le regard rivé sur son écran.

— Tu appréciais Gisèle Perrin? a-t-elle interrogé en marmonnant parce que c'était brûlant.

— Quoi, elle est morte?

— De mon point de vue, elle est morte. Elle vote pour qui tu sais.

— Il doit y en avoir d'autres autour de toi, a soupiré Nicole.

— Et autour de vous aussi! Ils sont partout!

— Peut-être un peu moins autour de nous, me suis-je permise de nuancer.

— Ce n'est pas un concours, a voulu arbitrer Nicole.

— Gisèle qui vit tout de même à Bordeaux dans un hôtel particulier à deux pas de la mairie! Vous voyez le tableau: insécurité maximale!

Un semblant de bonne humeur ressurgissait en moi à écouter les élucubrations charmantes de cette bourgeoise qui, depuis la mort de son mari, avait pris fait et cause pour sa fille, allant jusqu'à voter à gauche à la présidentielle, s'en targuant, fleur au fusil, prête à polémiquer avec ses plus vieux amis et émaillant ses incessantes démonstrations de « Jean-Pierre me soutiendrait ».

— Je suis contre cet ostracisme, maman. Gisèle est ton amie depuis plus de trente ans, alors il faut au moins essayer de comprendre et de parlementer.

— J'aurai autre chose à faire le jour de ton mariage, j'aime autant te dire !

— Moi, je suis comme ta mère, ai-je fait remarquer. C'est viscéral.

Nicole m'a dévisagée.

— Tu crois que je fais comment en classe avec le racisme intercommunautaire de mes gamins ? a-t-elle prononcé comme à une abrutie qui parlerait sans réfléchir.

— Ce sont des gamins, précisément. Ils ont tout à apprendre. Ils méritent l'indulgence.

Nicole a eu un bref soupir, signifiant qu'elle me laissait tranquille pour cette fois, mais il était bien clair qu'un vent d'animosité traînait dans l'air. Mes achats italiens et mes sanglots suspects ne passeraient pas à la trappe aussi facilement.

— Maman, tu pourrais me dire si c'est bon, au moins !

— Exquis. Les Bodin, j'hésite. Eux, on peut les retourner.

— Ils votent aussi FN ? me suis-je intéressée.

— Ils se tâtent. Raison de plus pour les inviter.

— Pour qu'ils voient deux gouines de près ? a persiflé Nicole.

— On ne dit pas «gouine», ma chérie.

— Je dis «gouine», si je veux ! Tu me demandes bien qui fait l'homme ici !

Monique a continué à picorer dans son assiette sans sourciller.

— Imagine qu'une émotion inattendue les saisisse pendant la cérémonie. Ça peut faire pencher la balance.

— Bon, maman : tu ne vas pas faire ta liste d'invités maintenant. On dîne !

— Je trouvais amusant, moi, de voir ça avec vous.

Mais Nicole n'était pas d'humeur à trouver quoi que ce soit amusant, y compris les divagations gauchistes de sa mère. Monique a fini par poser son téléphone portable et elle a examiné son assiette comme si elle découvrait ce qu'elle mangeait du bout des lèvres depuis le début du dîner.

— Un peu ferme, ton poulet.

— Je sais ! Il n'a pas assez mijoté !

Nicole a lâché ses couverts et croisé les bras, à la manière d'un enfant boudeur qui ne veut plus jouer.

— On fait ça quand, mes chéries ? Septembre ? Ça peut être agréable en septembre.

— On n'aura jamais le temps.

— Quatre mois, tout de même !

— Même si tu commets un génocide dans ton carnet d'adresses, on n'échappera pas aux grandes pompes, je te connais! Ça s'organise un machin pareil.

— Est-ce que vous savez seulement où ça aura lieu?

Nicole s'est tournée vers moi. Je connais ses yeux par cœur: à cet instant précis, ils ne dardaient qu'hostilité; à croire que son ressentiment s'était accru de minute en minute depuis mon effondrement pathétique.

— Nous ne savons qu'une chose, maman: nous souhaitons nous marier.

Le tout dit avec une articulation menaçante et le regard planté dans le mien.

— Et pour la date, a-t-elle poursuivi, je suppose que juillet de l'année prochaine conviendra tout à fait.

— Dans plus d'un an? s'est étouffée Monique.

— Parfaitement. Ça nous laisse le temps d'être bien certaines…

De ne pas faire une connerie, hurlait le silence.

— … de pouvoir tout organiser comme il se doit.

Nicole s'est remise à manger. J'étais liquéfiée.

— Oui, enfin n'attendez pas que la droite repasse! a conseillé Monique d'un air expert.

— Rien ne dit qu'elle va repasser.

— Ah si.

— Eh bien, rien ne dit qu'ils abrogeront la loi!

Monique n'a rien rétorqué, comme rendant les armes. Puis elle a pris un air solennel.

— Tu sais, ma chérie…

— Oui, je sais : papa serait très fier.

— Non, tu ne sais pas ce que je veux dire, a protesté Monique.

— Chaque fois que tu commences ta phrase par «Tu sais, ma chérie…», c'est qu'il va être question de papa.

— Laissons Jean-Pierre en dehors de tout ça.

— Ah mais moi, j'espère qu'il voit tout et qu'il entend tout !

— Tu es d'un revanchard, ma fille !

Nicole ne s'était pas adressée une seule fois à sa mère avec douceur depuis le début de la soirée et je savais que tout était ma faute.

— Non, ce que je veux vous dire à toutes les deux…

Monique a marqué un temps, tel un tribun qui chercherait à imposer le silence avant de s'exprimer.

— C'est une grande, belle et grave décision que vous venez de prendre. Parce que ça veut dire quoi «se marier», au fond ?

Et elle nous a observées tour à tour.

— Ce n'est pas dire : «Nous vieillirons ensemble.» Mais plutôt : «Oui, je crois à cette possibilité et je ferai tout pour que cela advienne.»

D'ordinaire, Nicole aurait retenu un soupir ou carrément soupiré (elle déteste absolument entendre sa mère prêcher); mais, cette fois, elle a tendu l'oreille, manifestement en proie à un doute persistant.

— Attendez-vous à tout. Y compris, dans quelques années, à ne plus savoir ce qu'est exactement l'amour. Mais ne détalez pas à la première alarme et méditez cette promesse que vous vous êtes faite : *mourir vieilles ensemble.*

Nicole a quand même fait de grands yeux.

— Personne ne vous a forcées. Vous vous êtes choisies. Alors ne restez pas accrochées à cette fable : l'amour. Avec un peu de chance, il en subsistera quelques traces dans quelques années, mais sachez que vous vous destinez à quelque chose d'autrement plus important. C'est ce que j'ai connu moi-même avec Jean-Pierre. Alors, bien sûr, je suis aujourd'hui la femme la plus seule au monde. Mais j'ai vécu toutes ces années avec cette promesse de ne l'être jamais ou le plus tard possible, et je peux vous dire que la vie sonne autrement lorsque vous êtes forte de ça.

Elle nous a encore regardées, le menton levé. Puis elle a fait tourner son index près de sa tempe.

— Pensez à ce que je vous dis là.

— Bon, a conclu Nicole toujours partagée entre la mauvaise humeur et la gêne.

Et elle s'est levée pour débarrasser. J'ai contemplé ma Julianne Moore de bas en haut. Puis j'ai baissé les yeux et c'est alors que le sourire de Simona est réapparu sur l'écran blanc de la nappe ; il était à présent si limpide que je me suis mise à sourire moi aussi ; oui, le sourire de Simona avait brusquement une puissance de clarté inespérée, je savais enfin ce qu'il entendait me signifier : cette femme que j'avais croisée dans le métro n'était pas celle que j'avais aimée, pas du tout, la femme que j'avais aimée n'existait plus, le temps ne me la rendrait jamais, le sourire parfaitement inconnu de cette Simona non moins inconnue apparue ce jour-là au métro Rambuteau en était une preuve éclatante. J'étais libre !

J'ai bondi de ma chaise.

— Et si je mettais un peu de musique ?

Nicole n'a rien répliqué et elle est partie s'atteler à la vaisselle. Quant à Monique, elle a toussoté, s'est remis un peu de rouge à lèvres et a enfilé sa veste.

— Mais… vous n'allez pas partir maintenant ? Et le fromage ?

Je les ai suivies dans la cuisine. Monique a embrassé sa fille sur le front.

— Et toi, pense à ce que je t'ai dit, maman.

— Qu'est-ce que tu m'as dit ?

— Les cendres. Il va bien falloir s'en occuper.

— Ah oui !

Elle s'est retournée vers moi avec une petite moue d'étourdie.

— Encore un coup du Seroplex !

— Je serai là pour te le rappeler, a dit encore Nicole.

J'ai fait la bise à Monique et l'ai raccompagnée dans l'entrée. Elle s'est engouffrée dans l'ascenseur et j'ai refermé la porte avec un poids lancinant et tout à fait prévisible au milieu du thorax, une sensation qui trouve le nom de «culpabilité».

J'ai nettoyé la table basse du séjour ainsi que celle sur laquelle nous avions dîné. Quand il n'a plus été possible de faire autrement, j'ai fait un pas dans la cuisine.

— J'ai bientôt fini, a annoncé Nicole penchée au-dessus de l'évier.

— Prends ton temps, ai-je cru bon de dire comme si elle s'occupait à une tâche qui lui tenait à cœur.

Et je me suis mise à remballer les fromages.

— Pourquoi est-ce que ta mère est partie si tôt?

— Pour nous laisser parler, toi et moi, a dit Nicole d'une voix calme.

— Parler?

— Nous avons bien à parler, n'est-ce pas?

Elle s'est tournée vers moi tout en s'essuyant les mains avec le torchon.

— Alors on va s'asseoir ici, par exemple. Ou est-ce que tu préfères au salon?

— Nicole…

— Oui, c'est moi. Est-ce qu'un petit digestif te ferait plaisir? Un Limoncello peut-être?

— À quoi tu joues?

— Et toi?

Il y avait une ironie glaçante dans sa voix, celle dont elle use pour se défendre quand l'heure est grave. Autant Nicole perd contenance quand des olives viennent à manquer, autant elle est d'une assurance souveraine quand le pire est à sa porte.

— Si tu ne veux rien boire, alors nous allons rester ici. Je t'écoute.

— Tu… m'écoutes?

— Oui, qu'est-ce que tu as à me dire? Parce que tu as des choses à me dire, Raphaëlle.

Là, le vide total. Et une très nette envie de pleurer (mais je ne me voyais pas assener à Nicole une seconde salve).

— Je t'écoute. J'ai tout mon temps.

— Mais que veux-tu que je…

— Raphaëlle, je ne sais pas encore si je vais dormir ici ce soir, ni même demain soir, ni même un jour prochain, alors je pense qu'il serait préférable d'arrêter de me prendre pour une buse.

— Je te prends pour une buse?

— Ah, ce soir, tu mérites un césar d'honneur, oui.

J'étais incapable de dire quoi que ce soit et totalement sous son contrôle.

— Quand je dis que j'ai tout mon temps: c'est une expression. Il est vingt-deux heures, j'ai cours demain à huit heures. S'il faut en plus que je fasse mon sac, ça peut nous mener tard. Alors tu vas y mettre un tout petit peu de bonne volonté. Allons-y. Je t'écoute.

Nicole parlait à la pire élève qui soit.

— Faire ton sac? ai-je bredouillé pour gagner du temps.

Elle m'a adressé un regard consterné. Je comprends maintenant pourquoi les petits malfrats tout autant que les grands salauds commencent toujours par répondre aux interrogatoires avec des démentis éhontés.

— J'attends.

Elle a ouvert un tiroir et en a tiré un paquet de cigarettes.

— Qu'est-ce que tu fais? me suis-je précipitée. Tu ne vas pas fumer?

Elle a brandi le briquet.

— Nicole, ne fais pas ça! Tu as tenu quatre ans! Tu ne peux pas faire ça! Tu sais bien qu'il en suffit d'une!

— Elle est pour toi.

Je lui ai adressé un regard totalement perdu.

— Tu as entendu parler de la cigarette du condamné?

Le pire, c'est que Nicole était assez crédible en Kathy Bates, version *Misery*.

Il était peut-être temps d'être plus intelligente que moi-même.

— Très bien, ai-je dit avec résignation. Je te trompe.

Nicole a posé la cigarette et le briquet sur le plan de travail sans me quitter des yeux, puis elle a croisé les bras.

— Je te trompe depuis le premier jour.

Curieusement, il m'était plus facile de soutenir son regard à présent que j'avais commencé à parler.

— Je te trompe avec Simona. Je suppose que c'est ça que tu as besoin d'entendre. Alors voilà: nous avons toujours été trois. Elle a toujours été là, entre nous. Je m'évertuais à la chasser, mais elle revenait. On peut donc considérer que je t'ai toujours trompée avec elle. Ça a commencé le soir de notre rencontre. Et ça vient tout juste de prendre fin. Il y a une heure à peine. Tu me croiras ou pas : je l'ai croisée par hasard dans le métro cet après-midi. Alors je ne vais pas te raconter n'importe quoi : ça m'a foutue par terre. Je n'ai pas arrêté d'y penser ce soir. Et tu sais quoi : finalement, je suis tellement heureuse de l'avoir revue, même si ça arrive bien tard, peut-être trop tard. C'est très important ce qui vient d'arriver, Nicole. Car, ce soir, Simona est morte en moi. J'ai vécu cinq ans entre un putain de fantôme et la femme qui m'attendait, la femme que j'aime. Mais, ça y est, c'est du passé. Enfin. Son putain de fantôme est mort !

Je ne saurai jamais pourquoi j'ai choisi de dire la vérité, ce soir-là. Toujours est-il que j'ai attendu la réaction de Nicole, le cœur battant. Elle n'a tout d'abord pas sourcillé, pesant je ne sais quel pour et je ne sais quel contre, ou peut-être rien de tout ça. Puis elle s'est effondrée en larmes. *Cinq ans d'amour et de vie commune pour ça*, devait-elle hurler en elle-même. J'ai été incapable de l'approcher et de la prendre dans mes bras. Je l'ai regardée pleurer.

Je ne me souviens plus exactement des minutes qui ont suivi. Je nous revois juste debout l'une en face de l'autre. Je me réentends dire à Nicole que je lui appartiens enfin, entièrement, et ma vie sauvée, grâce à elle, ma vie toute neuve, ce que j'ose nommer désormais : ma vie tout court. Et puis, il y a la porte d'entrée qu'elle ouvre lentement, sans me lâcher des yeux, et qu'elle claque derrière elle.

SILENCE RADIO

À la radio, la grève continue.
Il n'y a plus d'infos.
Je pourrais compter les jours.
Je ne compte pas.
Ça continue.
C'est tout ce que je sais.

Il fait encore nuit.
Je me traîne dans le salon avec ce trou en haut du ventre, inchangé, qui fait tantôt des sacs de chagrin, tantôt goût à rien, que dalle, plaqué aux draps.
Je fais un café.
Je n'ouvre pas les rideaux.
Pas encore.

Je pense à la journée qui m'attend.
Je reste immobile.

Si tu veux qu'elle continue à vivre en toi, il faut que tu vives.

J'ai entendu quelqu'un me dire ça, les premiers jours.

Je ne sais pas ce que signifie cette phrase.

J'y ai reconnu quelque chose d'encore obscur.

Je répète la phrase.

Ce sera pour plus tard peut-être.

Je ne peux pas entendre pour le moment.

Que pourrais-je vivre que j'ai tout à fait perdu?

Ils m'attendent en classe.

Le train part à 7 h 44 de Magenta.

Je ne sais pas si j'y serai à temps.

Je ne sais pas où je vais trouver le courage de m'engouffrer dans le métro, traverser la gare du Nord puis, une fois à Clichy, prendre le bus et, enfin, pénétrer dans le vacarme invraisemblable du collège.

Ils m'attendent et il va falloir donner.

Comme jamais.

Comme toujours.

Ils ne vous laissent pas le choix.

Je n'ai rien à donner.

Ça continue.

La grève et le reste.

J'aurais aimé écouter les infos ce matin.

Histoire de m'habituer au monde.

M'habituer à l'idée que je vais devoir y prendre part.

Mais il n'y a pas.

Juste de la musique, diffusée de façon un peu hasardeuse, que je n'aime pas la plupart du temps.

Je n'écoute plus de musique.

Il me faut des voix.

Le murmure de la vie.

Que je tente vainement de rejoindre.

Je pourrais trouver une autre station, pas en grève.

J'attends, immobile, Dieu sait quoi.

Ton improbable apparition.

Je te vois arrivant dans le salon.

Et je ne me dis pas : elle va venir.

Je me dis : je veux qu'elle vienne et elle ne vient pas. Elle ne viendra plus.

Je n'écoute plus de musique.

Si je fais le compte, les CD étaient presque tous à toi.

C'est du silence que tu as laissé.

Comment ça va la vie ? demandait Marina dans un poème.

Comment.

Je ne sais plus quoi répondre quand on demande de mes nouvelles.

Je commence par me taire.

Je tente un sourire dépité.

Non, ce n'est pas plié.

Ils le savent bien.

C'est gentil de demander de mes nouvelles.

Je veux conserver cette politesse reconnaissante qui consiste à essayer de répondre.

C'est gentil de ne pas me laisser seul.

Comment ça va.

Comme, je dis seulement.

Hier.

Aujourd'hui.

Demain.

Ça va comme.

Les petits au collège, ils ne savent pas.

Ils attendent que je donne.

Je n'ai rien à donner.

Ils sentent quelque chose probablement.

Le vide dans le regard.

Des billes.

Les absences entre deux phrases.

J'ai déserté le collège pendant deux semaines.

Ils sentent quelque chose forcément.

Lorsque je suis à bout de forces, je leur fais la lecture.

J'ai toujours un livre sur moi, au cas où.

J'interromps la séquence en cours.

Je lis.

Je ne suis qu'une voix traversée par des mots étrangers.

Je me laisse disparaître.

À la radio, la grève continue.
Toi aussi.

Ils peuvent répondre, eux.
Aux informations.
Avec des informations, précisément.
Comment ça va la vie?
Et ils te donnent des faits, infiniment renouvelés:
l'attentat d'hier sera toujours suivi d'une épidémie
ou d'un quelconque projet de réforme.
Demain, ce sera encore autre chose.
Il y en a à dire.
Pour moi, l'info n'a pas changé.
La même tous les jours.
Je la dis en silence.
À force.
Entre les silences.
Je la dis dans mes yeux.

Ça va comme.

La même question au fond: comment ça va pas?
Ce n'est pas plié.
Évidemment.

Ça fait un vide curieux, ce silence radio.
Parce que voilà, alors même (il fait encore nuit
je me traîne dans le salon avec ce trou en haut du
ventre inchangé qui fait tantôt des sacs de chagrin
tantôt goût à rien que dalle plaqué aux draps),

alors même que je m'apprêtais à faire une tentative, essayer au moins, en écoutant le monde à la radio, d'y revenir, au monde : silence radio.

Des voix.
N'importe quoi.

Hier, mes parents ont appelé pour mes quarante ans.
Je n'ai pas décroché.
J'ai laissé le répondeur les éconduire.
Ma mère a seulement dit : « Tu as quarante ans. C'est jeune. »
Elle a dû chercher un bon moment avant d'appeler.
Pour savoir quoi dire.
J'ai trouvé ça plutôt bien trouvé.
Pas si maladroit que ça.
Même si je ne peux pas entendre pour le moment.

Il y a une vie devant.
Que je n'ai pas envie de vivre.
Que je vivrai pourtant.

D'autres n'ont pas appelé.
Ils ont préféré ne rien me souhaiter.
En tout cas, pas mes quarante ans.

Je pourrais compter les jours.
Je ne compte pas.

Je n'ai rien changé dans l'appartement.

Il va bien falloir, je sais.

Tout le monde le dit.

Personne ne comprend que je ne m'y sois pas déjà mis.

Tout le monde comprend en réalité.

Personne, à ma place, ne s'y serait déjà mis.

Ils me disent de tout changer, ils proposent qu'on s'y mette tous, ils demandent si j'ai vidé les armoires, ils me disent qu'il faut que je vide les armoires; les commodes, on verra plus tard, on garde, je les rouvrirai un jour.

Je ne peux pas regarder les photos.

Les premiers jours, oui.

Plus maintenant.

Il y a le *Journal d'un écrivain* de Virginia Woolf que tu avais posé sur la table du salon.

Tu comptais le relire, sans doute.

Je pense à Léonard, son mari.

Sa vie sans elle.

Comment ça va la vie? demandait Marina dans un poème.

La vie fait un mal de chien.

Rien d'autre pour le moment.

La politesse de répondre quand on me demande si gentiment.

Je ne suis pas seul.
On ne me laisse pas seul.
Si tant est qu'on me force la main.
Ils sont là.
Autour de moi.
Ceux qui t'ont aimée.

Ce qui reste entre les vivants.
Je réponds ça parfois.
Ça n'appelle pas de commentaires.
C'est juste ça : ce qui reste entre les vivants.

Le café est pisseux.
C'est toujours toi qui le faisais.
Je le jette.
J'ai très peu dormi.
Mieux vaut pas de café.
J'aurais la gerbe dans le train.
Je vais être en retard au collège.
J'ai l'impression qu'on me demande d'aller au bout du monde.
Je suis au bout de moi-même.

Je feuillette le livre de Virginia Woolf.
Je tombe sur cette phrase à la fin : « Que votre dernier regard soit pour tout ce qui est beau. »
Qu'as-tu vu, toi ?
Ton dernier regard ?

Comment ça va la vie depuis la mort ?

On reste entre vivants.

Il n'empêche : à la radio, la grève continue.
Je pourrais compter les jours.
Je ne compte pas.
Ça continue.
C'est tout ce que je sais.

Le train part à 7 h 44 de Magenta.
Je ne sais pas si j'y serai à temps.

Un matin comme les autres.
Tous les matins se ressemblent désormais.
Se répètent.

J'attends, immobile, Dieu sait quoi.
Ton improbable apparition.
Je te vois arrivant dans le salon.
Et je ne me dis pas : elle va venir.
Je me dis : je veux qu'elle vienne et elle ne vient
pas. Elle ne viendra plus.

UNE BÊTE SAUVAGE

Tu me demandes ça à moi? J'aimerais pouvoir te répondre… Ne reste pas là. Je ne dormais pas. Assieds-toi. Je sais : suspect, le dessus-de-lit. C'est comment dans la tienne? Tu as vu les masques vénitiens aux murs? J'ai tout balancé au fond de l'armoire. J'appelle Cecil demain matin. Ça ne peut plus durer ces hôtels de merde. La macédoine de légumes au catering, déjà une épreuve. Cecil sait parfaitement ce qu'il fait, mais moi je ne marche plus : monter sur scène avec une macédoine de légumes dans le ventre, jouer vaille que vaille devant cinq cents personnes et se voir gratifié d'une piquette et d'un deux étoiles avec des masques vénitiens aux murs ; quand tu n'as pas droit à la salle polyvalente et au parc de chaises en plastique beige. J'appelle Cecil demain. C'est fini la macédoine de légumes, la salle des fêtes et l'hôtel de Castille où tu n'oses même pas poser un pied nu! Assieds-toi. Tu veux une cigarette? Retire le dessus-de-lit, si ça te dégoûte. Les draps, ça va.

Raconte. Je m'en doutais. Je t'ai vu t'affaisser au milieu du set. Je vois tout, à force. Je sens tout. Je t'ai vu courber l'échine. Et ton manche piquer du nez. J'ai senti le moment où tu as envoyé le pilote automatique. Au début, j'ai pensé que c'était mon *wedge* qui lâchait. Et puis, j'ai compris, je me suis dit : tiens, ça le reprend, on l'a perdu, il pense à elle, on ne le reverra plus du concert. Ne fais pas cette tête : je ne t'en veux pas. Toujours sur le même putain de morceau, tu as remarqué ? Tu veux qu'on le jarte du concert ? Je te connais par cœur, à force. Je connais tous mes musiciens. Je sais exactement quand vous m'envoyez le pilote automatique. Je savais que tu pensais à elle. Ta disto devient petit slip dans ces cas-là. Bon. Qu'est-ce que tu y peux. Assieds-toi, je te dis. Je ne vais pas le répéter vingt fois. Leur vinasse m'est restée sur l'estomac, pas toi ? Je disais quoi.

Tu me demandes ça à moi… Tu te dis qu'avec quinze ans de plus que toi j'en sais davantage ? J'aimerais te répondre. Je ne peux pas. Qui peut d'ailleurs ? Des siècles qu'on s'escrime à tenter de comprendre. Mais on ne sait toujours pas. On a approché le phénomène, frôlé des tonnes de débuts d'explication, inventorié les symptômes. Beaucoup de temps – je ne dis pas *perdu* – mais *occupé* à ça. Un tombereau d'heures. Et tu me demandes à moi ? Je crains de ne pas pouvoir aller beaucoup plus loin que les autres : je ne sais pas comment ça fonctionne. Tu me passes mon sac, je dois bien avoir un briquet. Je fume si je veux.

Je n'ai qu'une chose à te dire : on ne change jamais les gens. Parce que c'est ça ta question au fond. La vraie question. C'est difficile à entendre peut-être ? Tu me diras : j'ignore ce qu'elle a dans le crâne, cette fille. Comment savoir. Sans la connaître. Tu me demandes un diagnostic sans consultation, c'est compliqué. Même si je te fais entièrement confiance. Tu es quelqu'un de finaud. Tu sens les choses. Tu ne t'emballes pas. Je veux dire : tout emballé que tu es, tu sens les choses. Mais quant à expliquer ce qu'elle a dans le crâne... Il y a que peut-être : tu ne lui plais pas. C'est difficile à entendre, je sais. Mais il faut bien en passer par là, pardon. Peut-être donc... Je ne répète pas, tu as parfaitement entendu. Tu as une mine sinistre, mon chat. Prends une cigarette. Oui, il est certain qu'elle t'apprécie, un peu beaucoup. Pour autant... Il faut l'entendre, ça. Tu es finaud mais ça ne fait pas tout. Ou alors... Dis donc, j'avais loupé le minibar. Regarde voir ?

O.K. Juste pour le décorum. Les cons. Je me serais bien fait un whisky. Qu'est-ce que je disais. Je disais : ou alors ça résiste. En elle, je veux dire. Pour une obscure raison sur laquelle nous ne mettrons sans doute pas la main ce soir. Prenons mon cas – ce n'est qu'un exemple : j'ai souvent et beaucoup résisté. À tous les assauts. Même les plus recommandables. Ça résistait *en moi*. Par résister, j'entends : peur de m'y jeter de nouveau et de me perdre, d'y perdre ce que j'avais déjà perdu et que je désespérais de retrouver (une once de confiance, un peu d'amour-propre). Tu sais, il arrive qu'on ressorte amoché d'une histoire d'amour. Tu as beau être plus jeune que moi, ça a dû t'arriver à toi aussi. Amochée, je connais. Si souvent amochée. Alors pendant longtemps ça résistait. Peut-être cette fille est-elle tout simplement dévastée par ton prédécesseur, je veux dire : le précédent. Alors : ça résiste. Peur de s'y jeter de nouveau. Tu ne le feras pas pour elle. C'est ce que j'entends par : on ne change pas les gens. Dans mon cas – ce n'est qu'un exemple : ça m'a duré. Le coup de l'amochée qui se carapate. Ça peut durer. Et pendant ce temps-là, Cyrano peut bien beugler jusqu'à s'étrangler dans la cour… Ravale, garde tout ça pour plus tard, Cyrano : elle n'entend pas, elle est sourde ; elle est amochée, alors elle est sourde. Et puis, un jour la surdité cesse (pas facile à dire ça). S'agissant de moi : un beau jour, la surdité a cessé. Je ne me suis plus barricadée, si tu préfères. Aujourd'hui, je ne crains pas de laisser un homme entrer. Au contraire : qu'il défonce la porte ; j'en rêve ! Je suis tellement seule sur scène. Tu sais ça. C'est connu. Ça, au moins, on sait comment ça fonctionne. Oui, vous êtes là. Dieu merci, vous êtes là. Il n'empêche : murée sur scène. Ça vient sans même qu'on s'en aperçoive et tandis qu'on continue à croire à je ne sais quelle connerie : qu'on s'offre comme une

216

pute. Au lieu de quoi : seule à crever, oui. Statufiée dans cette lumière poisse qu'on nomme : l'admiration. Rien de pire pour être aimé que d'être admiré. Parfois j'en viens à me demander si je ne leur fous pas les jetons. Je ne suis pas Greta Garbo, d'accord. Mais je t'assure : ils sont pétrifiés. Une bête sauvage : parfois, j'en viens à me dire qu'il n'y a plus que ça pour moi ; une bête sauvage qui surtout ne m'admirerait pas et me passerait dessus sans réfléchir. Pardon, je m'éloigne. Enfin, pas tant que ça : est-ce que tu l'admires ? Je sais bien qu'elle ne monte pas sur scène comme moi, il se peut que je compare l'incomparable, mais est-ce que tu l'admires ? Je veux dire : est-ce que tu te sens pétrifié, paralysé, menacé d'impuissance, dans l'idée ? Elle pourrait le sentir. Un parfait tue-l'amour, crois-moi. Certain ? Bon. Alors peut-être que tu ne lui plais pas. Tout simplement. C'est dur à entendre, je sais. Ou peut-être qu'elle est amochée par le précédent. Pourquoi est-ce que ces clopes s'éteignent tout le temps, bordel ?

Bien sûr, ça m'est déjà arrivé. Ça m'arrive encore. Ces temps-ci, parfaitement. Je ne parle pas de ceux qui m'admirent. *No way, babies*. Non, les autres. Ceux à qui je ne plais pas (et qui fatalement me plaisent). Et moi : toute seule à crier dans le désert. Enfin, je ne crie plus. Ah non. Plus à mon âge. Je chante. C'est déjà suffisamment ridicule. Non, je ne dis plus ces choses-là. Je les chante. Ah écoute : déclarer sa flamme pour se prendre une torche,

217

merci! Non, je me tais. Et je chante. Et j'attends que ça passe. Parce que oui: l'amour passe. Toi aussi, ça te passera. Tu t'en relèveras. En attendant, moi je ne dis plus ces choses-là. Je chante. Et si mes mots peuvent en apaiser quelques-uns: je prends. Apaiser ceux qui m'admirent. Et, pourquoi pas, ceux à qui je ne plais pas (et qui fatalement me plaisent). Apaiser les hommes. Tu vois: un truc que je partage bel et bien avec les putes pour le coup.

Ce dessus-de-lit me débecte. Je sens que je vais le balancer dans l'armoire avec les masques vénitiens. Je t'ai dit que tu étais de plus en plus balèze sur l'intro du concert? Ah oui, je t'ai trouvé balèze. Avant que tu ne t'affaisses. Ne fais pas cette tête: je ne t'en veux pas. Je sais qu'elle est raide, cette intro, mais tu te balades maintenant. Je t'avais bien dit: un concert vaut pour dix répétitions. Je pense juste que tu pourrais virer le *delay* au début. Et on fait un tour de plus à la fin parce que le *flanger*, franchement, ça envoie.

Tu as déjà pensé à te laisser pousser les cheveux? Je dis: un peu. Ne bouge pas: je t'imagine. Mets-toi de profil. Ouais. Je t'imagine bien. Je dis: un peu. Pas le catogan ringardos, tu vois. Tu pourrais tenter le coup. Tu as les traits fins. Ce léger creux, là, sous ta pommette. Tu sens? Je t'imagine tout à fait. Tu penses à elle, là?

Ma mère me disait toujours quand un garçon me brisait le cœur : « Ça te passera avant que ça ne le reprenne. » Phrase totalement inutile par ailleurs. Arrête de tortiller : jette-toi à l'eau. Franchement, tu pourrais t'éviter ces gamberges qui ne t'apporteront jamais aucune explication. Un jour, tu ne craindras plus l'eau froide, ni la noyade. On a quoi tous les deux : quinze ans de différence ? Seize. Je me rappelle très bien : à ton âge, pas prête. Pas prête du tout. Et puis, à quarante ans. Je ne parle pas de miracle. Enfin, tout de même : quelque chose a fini par se décongestionner. Allonge-toi. Tu ne vas pas rester une fesse dans le vide et l'autre sur ce dessus-de-lit dégueulasse. Vire-moi le dessus-de-lit. Ça me débecte. Les draps, ça va. Allonge-toi. J'ai foutu où mon feu ? Elles craignent, ces clopes. Je disais quoi.

À quarante ans (je ne parle pas de miracle, je ne dis pas : du jour au lendemain), j'ai changé. À quarante ans, j'ai commencé à ne plus avoir peur de me jeter à l'eau, ni honte de me noyer. Ce que j'appelle : décongestionner. Tu lâches les rênes (sans lâcher l'affaire, loin s'en faut). Tu abandonnes ce caprice de toute-puissance. Tu te noies et tu rejoins la rive modestement. Tu en ressors amoché. Mais moins longtemps. Parce que tu as accepté le risque de la noyade. Je me serais bien fait un whisky, pas toi ?

C'est une amoureuse qui te parle. Une amoureuse qui a passé quarante ans de sa vie à se dire :

l'amour, je suis contre. Et c'est vrai : j'étais contre. En réalité, je n'étais pas prête à en prendre le risque. Le risque de la noyade. Et puis, quelque chose a quand même fini par se décongestionner. Alors oui : murée sur scène, seule à crever, et parfois amochée par ces types qui ne veulent pas de moi (quarante ans n'évitent pas les affres). Mais les coups portent moins. Je t'assure. On se jette à l'eau. Et les choses finissent par s'éteindre. Dans l'eau froide, les grands incendies finissent toujours par s'éteindre. Oui, c'est une image. Fous-toi de moi. Non, je ne suis pas philosophe, comme tu dis. Je te parle : chaud / froid. Je te parle : le risque de l'amour. Tu verras. Je te le souhaite. Et tu ne te laisseras plus envahir pendant trois plombes par une poulette qui ne veut pas de toi. Pardon : je n'ai rien dit, on ne sait pas, à vérifier. Enfin : mal barré quand même. Tu avoueras. Cette mine sinistre, mon chat… Oui, je sais. Tu l'aimes. Putain, ce que tu serais beau avec les cheveux un peu plus longs…

Moi, si je devais compter les types qui ne veulent pas de moi… Je me jette à l'eau, je me noie, mais ça finit par faire des chansons, tu vois. Je chante. C'est ridicule mais c'est comme ça. Ça m'évite de m'humilier devant ces types qui ne veulent pas de moi. Je ne leur en veux pas : ils me donnent des chansons sans savoir. Tu dors ? Je te vois t'affaisser. Je te connais par cœur, à force. Tu es beau quand tu t'endors. Je t'ai déjà vu t'endormir dans le tour-bus. Je me suis toujours dit : il est beau quand

il s'endort. Ça va les draps ? Je retire tes baskets.
Tu as transpiré dans tes baskets. Ça ne me gêne
pas. D'où vient que ça ne me gêne pas ? Tes odeurs.
Dors. Tu verras. Bientôt tu ne penseras plus à elle.
Plus du tout.

Quoi moi ? C'est maintenant que tu te demandes
comment va ma vie ? Pas envie de parler de ça, mon
chat. De toute façon, tu ne le connais pas. Voilà,
c'est ça : un peu comme toi avec elle ; je ne lui plais
pas. Pardon, je ne voulais pas dire que tu ne lui
plais pas : on ne sait pas, à vérifier. Enfin moi : je
sais. Pas grave. Pas grave du tout. Et, tu vois, je n'en
fais pas tout un foin. Tu devrais faire comme moi.
Un peu de décence et de pudeur n'a jamais tué
personne. En attendant, quel mal de chien. Je suis
bien d'accord. N'insiste pas. Tu ne le connais pas.
Je retire ton tee-shirt. Je retire ton pantalon. Tu as
transpiré, c'est inimaginable. Ça ne me gêne pas.
On s'est rencontrés en quelle année, toi et moi ?
2012 ? Déjà. J'ai tout de suite senti comment ça
allait se passer avec toi. Mets-toi sous les draps, il
ne fait pas si chaud. Se passer comment : très bien.
Tu ne trouves pas que ça se passe bien ? Même si
tu t'affaisses de temps à autre en plein concert. Ne
fais pas cette tête : je ne t'en veux pas. Tu es beau
jusque-là. Tu dis ? Ah non, ne dis pas ça ! C'est
une connerie, ça ! Une connerie d'avant-sommeil.
Une connerie de mauvais vin. Ne dis pas : *c'est
une femme comme toi qu'il me faudrait.* Je rêve !
Ça n'existe pas. Je ne suis pas à la carte. Non,

je ne m'énerve pas! Je dis simplement: ne dis pas
ça. Oui, je sais: tu l'aimes. Putain, si tu voyais ta
gueule d'ange. Où est-ce que j'ai foutu mes klee-
nex, bordel. Mais non, je ne pleure pas. Tourne-toi.
Tourne-toi, je te dis!

Et dors. Fais-moi ce plaisir. J'aime te voir dormir.

Pour le reste, ça va, je te remercie.
Ça va très bien.
Je m'en relèverai.
Ne t'inquiète pas pour moi.
On en fera une chanson et voilà.

LA FIN DE L'AMOUR

Ils étaient là, exactement là : assis à la table du fond, non loin des portes battantes qui donnent sur la petite cuisine. À cet emplacement qui leur était réservé chaque fois qu'ils venaient, ils pouvaient discuter en ayant l'impression d'être suffisamment isolés des autres clients ou, tout aussi bien, les observer comme dans un petit théâtre dont ils auraient occupé le premier rang.

Il fait nuit. Planté devant l'entrée du restaurant, le regard rivé sur l'une des vitres fumées qui quadrillent la porte pour moitié, il se dit qu'on ne peut pas le voir de l'intérieur.

Il prend le temps de refaire le parcours : venu de la rue d'Enghien où il avait rendez-vous, il était parti pour rejoindre les Grands Boulevards et il a tourné rue de Mazagran.

Il n'est pas repassé là depuis huit ans.

Leur appartement était situé à trente mètres du restaurant. Ils y dînaient au moins une fois par semaine. Ce bistrot était devenu un repaire, une sorte d'abri comme il en faut quelques-uns à Paris pour se sentir bien. Après la séparation, ils l'avaient déserté du jour au lendemain, lui comme elle.

Il n'est pas tellement question d'entrer.

Il scrute en lui-même. Il attend de voir ce que ça lui fait. Huit ans après.

Il ne ressent presque rien. Tout au plus, un pincement dans l'estomac. Bien sûr, il est possible que les années l'aient tout naturellement immunisé ; de l'amour, de sa disparition et de l'effondrement, ne resterait qu'une fable qu'on se surprendrait presque d'avoir vécue.

Huit ans après, c'est différent. Par définition, suppose-t-il avec prudence. Il revient de trop loin, l'histoire a été trop dévastatrice pour conclure si vite à l'évidence.

À l'intérieur, rien n'a changé. Déjà quand il fréquentait le lieu, la petite salle (constituée de sept ou huit tables) semblait n'avoir pas bougé depuis les années soixante-dix. La longue banquette de bois est toujours là, le comptoir massif, les antiques clichés d'acteurs hollywoodiens aux murs, et plusieurs portraits de Marcelle, la patronne, avec son mari, mort depuis longtemps. Tout ça tient quasiment du miracle quand on pense aux brasseries aseptisées ou résolument branchées qui peuplent à présent le quartier.

Il reconnaît Marcelle, de dos, qui s'affaire en cuisine. Quel âge peut-elle avoir maintenant ? Soixante-dix, soixante-quinze ? Il se rappelle très bien sa voix rauque de fumeuse, et ce débit de paroles heurté, comme si elle s'apprêtait à entamer une phrase au milieu de la précédente.

Les plats sont toujours inventoriés à la craie sur différentes ardoises suspendues au-dessus du comptoir. Il y a là une majorité d'habitués, ça se voit tout de suite, et un couple de touristes asiatiques (on est à côté du Grand Rex alors il en vient de temps en temps, comme égarés mais séduits par le côté « vieux Paris »).

Autrefois bar de quartier abritant au sous-sol des joueurs clandestins, l'endroit est devenu un club lesbien puis gay. Marcelle a racheté le lieu au début des années quatre-vingt. Elle a réussi à loger une cuisine exiguë au bout de la salle. « Chez Marcelle » est né.

Il détaille le couple installé à la table du fond, la fameuse table. Elle, une quarantaine d'années, beau nez aquilin, cheveux aux épaules. Un chemisier strict durcit son allure. Pas de maquillage ou de vernis à ongles, juste une fine alliance. Lui, même tranche d'âge, cheveux poivre et sel. C'est la monture épaisse de ses lunettes qu'on remarque en premier ; il semble pelotonné derrière. Il est en costume, il a dû venir directement après le travail. Il n'est pas très disert. Ses lèvres à elle bougent sans discontinuer tandis que son regard est concentré sur un point dans le vide. Il finit par passer une main sur son avant-bras et désigner le plat qu'elle a devant elle. Elle se met à manger. N'était ce geste d'une discrète familiarité, il est difficile de savoir s'ils sont ensemble.

Marcelle finit par apparaître en salle. Elle sert deux clients et leur souhaite bon appétit, les gratifiant (il le voit à l'expression de son visage) de cette gouaille allègre qui fait la marque de fabrique du restaurant et des soirées qu'on y passe. Avant de repartir en cuisine pour honorer la commande suivante, elle passe derrière le comptoir, saisit son sempiternel verre de rosé et boit une bonne gorgée.

Ils ne sont jamais venus dire au revoir à Marcelle. Ils ont quitté le quartier comme des voleurs, pour ainsi dire, et emménagé chacun de leur côté à l'autre bout de Paris. Cela dit, il est presque certain qu'on a dû la tenir au courant. Des voisins. Ou un commerçant de la rue. C'est fini. Ils se sont séparés. C'est elle ou c'est lui ? C'est elle. Mais ça aurait pu être lui. Disons que c'est elle qui a été courageuse et qui a pris la décision. On n'en sait pas plus.

Il pourrait très bien entrer, s'asseoir, commander ses rognons rosés, ce serait facile, bien plus facile qu'on ne le penserait *a priori*. Marcelle le verrait seul pour la première fois et ne commenterait pas, devinant et entérinant aussitôt la situation. C'est le rôle qu'elle s'est assigné avec tous ses clients : les prendre comme ils viennent ; pas d'interrogatoire ; on n'est pas là pour se justifier.

Il faudrait seulement l'empêcher de lui servir son moulin-à-vent (le meilleur rouge de la carte). Elle s'en étonnerait. Il prendrait sur lui et dirait que ça aussi c'est fini.

Une fois (ils étaient à l'appartement), Keane lui avait dit : « J'ai l'impression que tu bois parce que tu es avec moi. » Et c'est vrai qu'il devait boire parce que quelque chose commençait à l'envahir ou, plutôt, à le déserter.

Keane avait continué à l'aimer pendant un bon moment, mais ce n'était plus l'homme qu'elle avait connu. Elle l'avait regardé faire, comme beaucoup de femmes regardent les hommes boire. Puis, contre toute attente, elle avait dévalé avec lui.

Il était devenu inatteignable, hormis dans l'ivresse où elle avait l'illusion de le rejoindre *un peu*.

Longtemps, ils burent en couple. Et beaucoup.

À force (et comme deux coéquipiers lancés dans la même conquête), c'était devenu tout un art. Ils ne buvaient jamais le midi. Et jamais d'apéritif le soir. Tout de suite du rouge. Ils choisissaient un vin ni trop léger (qui aurait tardé à les étourdir), ni trop épais (qui n'aurait pu être consommé dans les proportions souhaitées). En cela, le moulin-à-vent de Marcelle était idéal. Ils avaient appris à repérer le dernier verre, le fatal, celui qu'il fallait éviter pour ne pas mettre en péril leur journée du lendemain. Ils étaient experts de leurs besoins et de leurs limites.

C'était au moins trois bouteilles à eux deux. Marcelle les resservait, un peu dépitée ; elle ne se serait toutefois jamais permis de leur faire la moindre remarque (on ne fait pas ce métier si on a un problème avec les gens qui boivent).

Il s'était passé plusieurs mois, peut-être une année en tout, durant lesquels l'alcool avait *réussi* à les tenir ensemble. Partis chacun travailler de leur côté, ils se retrouvaient le soir et vidaient leurs bouteilles, que ce soit à l'appartement, chez des amis ou chez Marcelle. L'ivresse déviait savamment la trajectoire de leurs conversations qui, sans cela, auraient été bien plus tôt au nerf de la guerre : la fin de l'amour. Qu'il ne voulait pas admettre. Il avait été si sûr de cet amour. Et elle aussi, qui espérait encore avoir un enfant avec lui. L'alcool autorisait cette attente absurde : que l'amour se relève. L'alcool était ce sas où patienter (tous les soirs) dans l'attente du miracle. Du *miracle*, se répète-t-il aujourd'hui. Jamais advenu.

Pour lucide qu'elle avait été avant de chuter avec lui, elle avait fini par épouser sa cause (le déni). Ivre, elle souffrait moins. Elle lui raconterait tout ça à la veille de la séparation. Pour le moment, elle sombrait avec lui sans mot dire.

Et ils buvaient à deux, comme des amis à la dérive alors qu'ils étaient deux amants en passe de ne plus l'être.

L'alcool avait donc permis ça (ajouté à l'amitié qu'ils avaient toujours eue l'un pour l'autre) : l'amour avait pris fin sans qu'ils aient à devenir ennemis, sans qu'ils aient à se déchirer. Ils s'étaient détruits, individuellement et ensemble, plutôt que de se déchaîner l'un sur l'autre et l'autre sur l'un.

D'où était venu le sursaut ? Certainement pas de leurs proches ou de leur milieu professionnel : ils avaient, hélas, une bonne constitution et, si les matins étaient pour le moins migraineux, l'alcool n'avait jamais eu tellement d'incidences sur leur comportement social ou sur ce qu'on nomme joliment leur *performance* au travail. Non, c'est elle qui avait réagi ; elle était brusquement sortie du déni où elle n'aurait jamais dû se réfugier. Elle avait pris la parole. Pour lui raconter ce qu'ils traversaient depuis de longs mois. Et il avait fallu du temps pour qu'il lui donne raison. Il avait fallu qu'elle insiste tristement sur les détails et, notamment, sur ces deux corps indifférents et inertes. Car, pour lui comme pour elle, même en des temps différés, l'alcool était venu remplacer l'amour. L'amour qu'ils ne faisaient plus. Il avait eu réponse à tout pour commencer : on sait que la passion ne dure pas, elle laisse place à un compagnonnage aimant et doux. Elle avait renchéri, se contentant de décrire ce qu'elle voyait, ce qu'elle vivait, ce qu'ils étaient devenus : ils étaient intoxiqués, ils en mourraient à plus ou moins long terme et ce n'était en rien le « compagnonnage » et la passion assagie (à compter qu'on adhère à cette vision) auxquels il tentait de lui faire croire. Ils se noyaient parce qu'il n'y avait plus d'amour entre eux et que ça leur était insupportable. « Tu ne m'aimes plus. Et moi, je ne te reconnais plus. Ce qui va finir par revenir au même. » Il continuait à se soûler pour ne pas entendre. Jusqu'au jour où elle déclara, sans lui demander son avis, qu'ils avaient à présent une double raison de se séparer : c'était la fin et il y avait urgence à cesser de se tuer.

Ils ne parlèrent jamais de ça chez Marcelle. C'était plutôt la nuit, lorsqu'ils étaient de retour dans cet appartement haussmannien devenu sinistre ; car, c'est étrange, ils s'étaient mis en tête depuis quelque temps de jeter l'inutile et de ne garder que l'essentiel; la moindre babiole avait commencé à faire figure de fioriture, de sorte qu'il ne restait presque plus rien dans cet appartement déjà si impersonnel.

Tout était à l'avenant : l'ivresse pour habiter le vide entre eux, et, chez eux, le vide par anticipation, l'état des lieux possible à tout moment.

Et puis, ils l'avaient bel et bien fait, cet état des lieux.

Leur amitié n'avait bien sûr pas survécu à la séparation et, tout comme l'on se met à éviter quiconque est devenu nocif pour soi, ils avaient tenté de se relever loin l'un de l'autre. Ils avaient été candidats à la mort, solidaires devant le cadavre de leur amour, mais c'est dans l'éloignement qu'ils pourraient se donner les moyens de revenir à la vie. Au final, il n'avait jamais su si elle avait dû en passer par la cure, comme lui.

À présent, il sait ça : il est alcoolique et le sera toute sa vie. Même sans plus toucher à un verre.

C'est venu brusquement. Et seulement maintenant. La tristesse est montée d'un coup, de sa cage thoracique jusqu'à sa gorge. Il se sent transporté huit ans en arrière, comme s'il allait la rejoindre à l'intérieur du restaurant dans une minute.

À l'époque il n'était pas triste. Jamais. Plutôt anesthésié. On ne boit pas pour autre chose.

Il a dû admettre cet axiome élémentaire : il l'a aimée, d'un amour sans mesure, puis il ne l'a plus aimée. C'est proprement indéchiffrable.

Il pourrait fermer les yeux et, les rouvrant, la voir assise à *leur table*. Mais elle n'y est pas. Elle est perdue. Dans le temps. Un autre temps. À la place : les deux quarantenaires (elle qui continue à parler, lui à écouter).

Il sent un souffle imperceptible derrière lui, une présence ténue qui pourrait n'être qu'une erreur de perception. Une note de parfum lui parvient ; il reconnaît un vétiver. Il se retourne : deux femmes patientent derrière lui sans oser le brusquer, croyant probablement qu'il s'apprête à entrer. Il fait un pas de côté d'une façon un peu précipitée, se calfeutrant dans un angle où il est sûr de ne pas être dénoncé par l'embrasure de la porte. Il a l'impression d'être un voyeur surpris. Pourtant le regard des deux femmes n'a rien d'appuyé. L'une d'elles lui sourit, puis elles s'engouffrent dans le restaurant. Il entend un éclat de voix joyeux (Marcelle). Lorsque la porte se referme, il revient lentement près des carrés vitrés.

Il suit des yeux les allées et venues de Marcelle. Il a tellement aimé ça : leurs échanges à bâtons rompus; Marcelle s'adressant à ses habitués d'une voix suffisamment forte pour être entendue de toute la salle; et, lorsqu'ils n'étaient plus que quelques habitués en fin de soirée, les cendriers qu'on sortait de derrière le comptoir, les cigarettes qu'on allumait et les conversations au long cours qui commençaient.

Il se revoit, imbibé, joyeux ou en proie à des passages à vide, le tout par alternance, reprenant un énième verre comme pour se donner des forces, incapable de reconnaître qu'il les consumait plutôt (les seules qui lui resteraient seraient employées à tenter de faire illusion le lendemain au bureau).

Il garde évidemment moins de souvenirs des derniers mois alcoolisés que de la séparation et de la cure. Mais il se rappelle ça, quand même, déplorable continuum entre les deux périodes: le désir disparu, totalement englouti.

Il avait fallu tellement de temps pour qu'une deuxième vie commence. Une deuxième vie qu'il allait devoir apprendre à ne pas détester.

Dans l'intervalle: vide, vidé, indifférent à tout depuis la spirale paroxystique du sevrage. Pas un de ses gestes qui ne fût machinal. Désaffecté. Le manque et c'est tout. À tel point qu'il avait quasiment pris acte de l'absence de Keane dans un second temps. Il lui avait téléphoné plusieurs fois, comme sous le coup d'un réveil tonitruant. Elle lui avait dit qu'il ne fallait plus l'appeler.

Vide, vidé. Le manque. Et plus rien d'elle, pas un signe. Interminable. Pourtant : sevré, soigné, suivi. Et ses amis en rang serré pour le porter, le surveiller, l'occuper. Mais : hagard, de jour comme de nuit.

La vie était revenue, oui. Longtemps après. C'était ça ou en finir. Il se trouve qu'il avait eu le courage nécessaire. Ce n'était pas donné d'avance.

Par où revient le goût, fût-il aigre ?

Il s'était remis à bander, et à regarder les femmes. Ça avait probablement recommencé là. Ses journées avaient dès lors été scandées par la torture régulière de silhouettes aussitôt croisées, aussitôt échappées. C'en était devenu obsessionnel, dans la rue, dans le métro, où qu'il aille. Ses yeux trouvaient à s'écorcher partout, s'affrontant à l'impossible (il se refusait à aborder des femmes). Il aurait pu aller voir des putes, mais l'idée le révulsait. Il préférait internet. Toujours le même site où il trouvait un large choix de films en *streaming*. Il payait quart d'heure par quart d'heure, comme se promettant qu'il venait là pour la dernière fois. Il avait ses hardeuses préférées. Il constituait sur son compte en ligne toute une vidéothèque de films dits «favoris». Il se branlait piteusement, comme l'on se débarrasse d'un repas en solitaire.

Triste reprise. Mais reprise quand même.

Son existence d'alors ne s'était pas résumée à ça : ses amis proches s'étaient mis à occuper une place prépondérante (deux couples, en particulier) ; des gens qui le connaissaient intimement. Il pouvait leur parler sans crainte. Il les voyait toutes les semaines. Il partait en vacances avec eux aussi. Il aimait beaucoup leurs enfants, même s'ils lui rappelaient celui ou ceux qu'il n'avait finalement pas eus avec Keane. Certaines conversations (s'agissant des enfants, précisément) lui nouaient parfois le ventre. Il n'empêche : il avait fini par mener une *vie de couple* avec eux, approchant cette nuance d'inconditionnel propre au lien familial. Il aimait l'intimité prosaïque et quotidienne qu'ils partageaient ; et puis, il y avait tous ces moments où il pouvait leur parler, encore et encore. De ses nuits blanches. Du manque, le manque d'alcool, et le manque d'une femme. Il ne parlait plus de Keane : il voulait rencontrer une femme. Maintenant qu'il était revenu de son amour mort. Maintenant qu'il était revenu à la vie, à jeun. Et il avait peur. De mal tourner. Ou d'avoir *déjà* mal tourné. C'était une sensation tenace : il considérait avec angoisse le célibat qui lui faisait à présent une seconde peau. Il avait l'impression de puer la solitude au point d'être trahi par elle sitôt qu'il faisait la connaissance d'une femme. Encore que la plupart de celles qu'il suivait du regard ne le voyaient même pas. De toute façon, il n'avait jamais cru aux rencontres de hasard.

C'est ainsi qu'il en était venu à se persuader que rien n'arriverait plus, qu'il avait dépassé un point de non-retour, même sevré, soigné, suivi. Le meilleur était derrière lui. Il y avait laissé tout ce qu'il pouvait d'amour.

Il desserre le nœud de sa cravate, il étouffe. Il sent le tissu de la chemise trempé sous ses aisselles et, au bas de son dos, une rigole de sueur.

Un bruit métallique le fait sursauter. Il avise le haut de la rue : un type qui a shooté dans une canette vide.

Il n'est pas question d'entrer dans le restaurant. Ni de rester plus longtemps. Déjà : cette tristesse qui est venue d'un coup. Et cette bouffée qui le trempe.

Ça va passer. Ça va passer.

Il ne pouvait quand même pas escompter venir ici sans rien ressentir du tout.

Avant la fin de l'amour et avant l'alcool, tout lui avait été plutôt facile. Et puis, il arrive que la vie devienne difficile et qu'on ne s'en sorte pas avec ça. C'est très courant.

Il ouvre grand le col de sa chemise.

Il ne va pas remonter la rue de Mazagran et passer sous l'ancien appartement. Il va retourner dans la rue de l'Échiquier et rejoindre le métro par Faubourg-Saint-Denis même si ça fait un détour.

Il allume une cigarette. Il a gardé ça. Il ne pouvait pas tout arrêter en même temps. La première bouffée semble amplifier l'étranglement dans sa gorge. Et dans les bronches aussi : un point de douleur qui part de la poitrine et va jusqu'au milieu du dos. Il écrase la cigarette.

Il jette un dernier regard à l'intérieur du restaurant. Marcelle raconte quelque chose, hilare, à grand renfort de gestes. Les deux touristes asiatiques l'observent, amusés.

Il s'éloigne par où il est venu.

Le sommet de son front ruisselle. Il passe une main rapide et précise à la racine de ses cheveux.

Il tourne à droite en serrant l'angle et tombe nez à nez avec un grand baraqué qui attend là. Il freine juste ce qu'il faut pour ne pas lui rentrer dedans.

Il s'excuse vaguement, s'écarte et repart, le pouls battant.

Son portable vibre. Il s'immobilise. C'est Betty. Il décroche aussitôt.

— Allô?

— Je voulais juste te dire que je vais être en retard, dit-elle. Je suis désolée.

Elle est essoufflée. Il entend le brouhaha de la ville qui couvre en partie sa voix.

— Ne t'inquiète pas, je suis en retard aussi.

Il se remet en marche, d'un pas d'autant plus rapide, comme pour se mettre au même rythme qu'elle, ou pour fuir un peu plus vite ce quartier.

— Tu es où? demande-t-elle.

— Je quitte le neuvième à l'instant.

— Ton rendez-vous s'est bien passé?

— Je n'ai pas l'impression. Le type était assez hostile. Et toi?

— Ça n'en finissait plus. Ils ont tous décidé de tomber malade le jour des vacances.

— On peut partir demain matin si tu préfères…

— Non, ce soir. Même tard. Je t'en prie. Tu es là dans combien de temps?

— À peine une demi-heure.

— O.K. Je t'embrasse. À tout de suite.

— Betty, attends…

— Oui?

Il hésite, sans ralentir.

— Ça fait du bien de t'entendre…

Elle marque un temps à son tour.

— Tu as une drôle de voix. C'est à cause de ton rendez-vous?

Pour la première fois depuis plusieurs heures, il sourit.

— Si tu savais comme je me fous de ce rendez-vous!

Ils restent tous les deux silencieux, un peu haletants.

— Moi aussi, je suis heureuse de t'entendre. À tout de suite?

— À tout de suite.

Il raccroche et range son portable dans la poche intérieure de sa veste. Il replace le col de sa chemise d'une main plus calme. La crise de panique semble être passée. Et la bouche de métro n'est plus qu'à deux pas. Il peut remercier Betty d'avoir appelé à ce moment-là. Il a dû brusquement se concentrer sur autre chose que l'angoisse elle-même. Et puis, la voix de Betty a toujours un certain pouvoir sur lui. Ce timbre grave, un peu voilé: tout le monde remarque ça chez elle.

Il se plaît à l'imaginer se pressant dans les couloirs de Montparnasse pour rejoindre sa correspondance. Ils vont arriver à l'appartement presque en même temps. Ils s'embrasseront. Elle jettera négligemment son manteau sur le canapé. Elle ira glisser quelques vêtements dans un sac, un ou deux livres, la tablette. Il fera de même. Puis ils s'engouffreront de nouveau dans la cage d'escalier et, enfin, dans la voiture. Elle claquera la portière et dira: «Je respire.» Alors qu'ils n'auront même pas quitté l'air vicié et brumeux de Paris. Elle se penchera vers lui, l'embrassera encore et lui demandera si ça va. Il acquiescera en souriant. Voilà ce qui va se passer. Qui s'est déjà passé des dizaines de fois depuis qu'ils sont ensemble.

Pour le moment, il s'engage dans la bouche de métro. Il revient de loin. Il se demande par quel miracle cela a seulement été possible. Et par quel autre miracle Betty est entrée dans sa vie. Tout cela lui paraît encore plus indéchiffrable que le reste.

Merci à Alix.

Merci à Florent.

Merci à Jeanne et Yves.

Merci à Catherine Dan et à la Chartreuse Villeneuve lez Avignon.

Merci à Xavier de me l'avoir prêté (——————— – –).

« Silence radio » a initialement paru dans la revue Transfuge.

DU MÊME AUTEUR

Aux Éditions Verticales

LES YEUX SECS, 1998 (J'ai lu n° 5155 ; nouvelle éd. coll. «Étonnants Classiques», Flammarion, 2010)

L'INVENTION DU PÈRE, 1999 (Seuil, «Points», n° P807)

LA ROUTE DE MIDLAND, 2001 (Seuil, «Points», n° P1021)

LES VIES DE LUKA, 2002

EXERCICES DE DEUIL, coll. «Minimales», 2004

SWEET HOME, 2005 (Folio, n° 4540)

LA DISPARITION DE RICHARD TAYLOR, 2007 (Folio, n° 4730)

FRÈRE ANIMAL, avec Florent Marchet, coll. «Minimales», 2008

LE JOURNAL INTIME DE BENJAMIN LORCA, 2010 (Folio, n° 5277)

JE NE RETROUVE PERSONNE, 2013 (Folio, n° 5867)

PAS EXACTEMENT L'AMOUR, 2015 (Folio, n° 6258). Prix de la Nouvelle de l'Académie française 2015

À L'École des loisirs

MON DÉMON S'APPELLE MARTIN, 2000

VENDREDI 13 CHEZ TANTE JEANNE, 2001

JE SUIS UN GARÇON, illustrations de Françoiz Breut, 2001

LES CHOSES IMPOSSIBLES, 2002

FAITS D'HIVER, 2004

JE SUIS LA HONTE DE LA FAMILLE, 2006

LA VIE PEUT-ÊTRE, 2006

NOUS NE GRANDIRONS PAS ENSEMBLE, 2006

EDVARD MUNCH : L'ENFANT TERRIBLE DE LA PEIN-TURE, 2007

MOI JE, 2008

Chez d'autres éditeurs

LES HISTOIRES DE FRÈRES, avec Catherine Lopès-Curval, Éditions du Chemin de fer, 2005

UN AMOUR À LA GOMME, avec Grégoire Louis, Éditions Le Baron perché, 2007

NOS VIES ROMANCÉES, Stock, 2011 (Le Livre de Poche, n° 33077)

COQUILLETTE LA MAUVIETTE, avec Florent Marchet, illustrations d'Aurélie Guillerey et raconté par Julie Depardieu, Éditions Actes Sud Junior, 2012

J'AI VINGT ANS QU'EST-CE QUI M'ATTEND ?, avec François Bégaudeau, Maylis de Kerangal, Aurélie Filippetti et Joy Sorman, coll. «Enjeux», Éditions Théâtre Ouvert, 2012

LES GARÇONS PERDUS, avec Éric Caravaca, Éditions Le Bec en l'air, 2014

JE SUIS L'IDOLE DE MON PÈRE, Éditions Thierry Magnier, 2014

LE THÉÂTRE C'EST (DANS TA) CLASSE !, avec Fabrice Melquiot et Valérie Poirier, coll. «Am Stram Gram», L'Arche Éditeur, 2014

À LA PLACE DU CŒUR (SAISON 1), coll. «R», Éditions Robert Laffont, 2016